D1627772

10|18
12, avenue d'Italie – PARIS XIIIᵉ

Sur l'auteur

Bret Easton Ellis, né en 1964 à Los Angeles, vit maintenant à New York. Son premier roman, *Moins que zéro,* salué comme un chef-d'œuvre et comparé à *L'Attrape-Cœur* de Salinger, le propulse à vingt et un ans au premier plan de la scène littéraire américaine. Il publie bientôt *Les Lois de l'attraction,* qui ne dément pas son talent avant de frapper l'opinion et les lecteurs, en 1991, avec *American Psycho,* roman d'un golden boy *serial killer,* un des livres les plus controversés de cette fin de siècle aux États-Unis, qui connaît un succès international. Avec un recueil de nouvelles, *Zombies,* et un roman, *Glamorama,* Bret Easton Ellis a renoué depuis avec les thèmes de ses premiers romans.

ZOMBIES

PAR

BRET EASTON ELLIS

Traduit de l'américain
par Bernard WILLERVAL

10 | 18

« *Domaine étranger* »
dirigé par Jean-Claude Zylberstein

ROBERT LAFFONT

Titre original :
The Informers

© Bret Easton Ellis, 1994
© Éditions Robert Laffont, S.A., 1996
pour la traduction française.
ISBN 2-264-02654-5

Un soir, j'étais assis sur le lit dans ma chambre d'hôtel de Bunker Hill, en plein milieu de Los Angeles. C'était un soir important, car je devais prendre une décision pour l'hôtel. Soit je payais, soit je décampais ; c'est ce que disait le mot, le mot que la tenancière avait glissé sous ma porte. Un problème d'une telle importance méritait une grande attention. Je le résolus en éteignant la lumière et en m'endormant.

John Fante,
Demande à la poussière

1

Bruce appelle de Mulholland

Bruce téléphone, bronzé et défoncé, de Los Angeles. Il me dit qu'il est désolé. Il me dit qu'il est désolé de n'être pas ici avec moi à l'université. Il me dit que j'avais raison, qu'il aurait dû m'écouter, prendre l'avion et venir participer au séminaire cet été ; il me dit qu'il est désolé de ne pas être dans le New Hampshire, de ne pas m'avoir appelé depuis une semaine, et je lui demande ce qu'il peut bien fabriquer à Los Angeles sans lui préciser que cela va bientôt faire deux semaines qu'il ne m'a pas appelé.

Bruce m'explique que tout est allé de travers depuis que Robert a quitté l'appartement qu'ils partageaient à l'intersection de la 56ᵉ Rue et de Park Avenue, pour aller descendre le Colorado en raft avec son beau-père, laissant son amie Lauren, qui vit aussi dans l'appart, en tête à tête avec Bruce pendant quatre semaines ! Je n'ai jamais vu Lauren, mais je sais bien par quel genre de fille est séduit Robert et j'imagine facilement de quoi elle a l'air, et puis j'imagine quel genre de filles est séduit par Robert, des filles superbes et capables de faire semblant d'ignorer que Robert, à vingt-deux ans, pèse à peu près trois cents millions de dollars ; je m'imagine cette fille, Lauren, allongée sur le futon de Robert, la tête renversée en arrière, et Bruce, les yeux obstinément fermés, qui s'agite doucement au-dessus d'elle.

Bruce me raconte que leur liaison remonte à environ une semaine après le départ de Robert. Bruce et Lauren sont allés au Café central et, après avoir renvoyé leur plat pour ne prendre finalement qu'un verre, ils ont décidé que ce serait purement sexuel. Que cela n'arrivait que parce que Robert était parti. Ils se sont dit qu'ils n'avaient d'attirance l'un envers l'autre que physique et ils sont retournés chez Robert se mettre au lit. L'aventure a duré une petite semaine, puis, continue Bruce, Lauren a commencé à sortir avec un jeune magnat de l'immobilier — vingt-trois ans à peine — qui pesait dans les deux milliards de dollars.

Bruce me dit que ça ne l'a pas bouleversé. Mais il a été « un peu embêté » le week-end où le frère de Lauren, Marshall, tout juste sorti de l'École des beaux-arts de Rhode Island, est venu s'installer dans l'appartement de Robert. Bruce m'explique que sa liaison avec Marshall a duré plus longtemps simplement parce que Marshall est resté plus longtemps. Une semaine et demie exactement. Puis Marshall est retourné dans le loft de son ex-ami, à SoHo, quand cet ex, un jeune marchand de tableaux qui pèse entre deux et trois millions de dollars, lui a demandé de peindre trois piliers en trompe-l'œil dans le loft qu'ils partageaient auparavant dans Grand Street. Marshall, lui, pèse dans les quatre mille dollars et des poussières.

C'est la période qu'a choisie Lauren pour déménager tous ses meubles — et même quelques meubles appartenant à Robert — dans l'appartement du magnat de l'immobilier en haut de la Trump Tower, sur la Cinquième Avenue. C'est aussi à cette période-là que les deux rarissimes lézards égyptiens de Robert ont dû avaler des cafards empoisonnés et qu'on les a retrouvés morts, l'un sous le grand canapé du salon, la queue coupée, et l'autre étalé sur le magnétoscope de Robert ; le plus gros avait coûté cinq mille dollars, le plus petit était un cadeau. Mais comme Robert est quelque part au fond du Grand Canyon, il n'y a pas moyen de le joindre. Bruce me dit que c'est la raison pour laquelle il a quitté l'appartement de Robert et qu'il est parti dans la maison de Reynolds à Los Angeles, tout en haut de Mulholland, pendant que Reynolds, qui pèse, selon Bruce, quelques cheeseburgers de fast food, et sans boisson, est à Las Cruces.

Bruce allume un joint et me demande ce que j'ai fabriqué de mon côté, ce qui s'est passé ici, en me répétant qu'il est désolé. Je lui raconte les réceptions, les conférences ; je lui dis que Sam a couché avec un rédacteur du *Paris Review* qui était venu de New York pendant le week-end des journalistes, que Madison s'est rasé les cheveux, et que Cloris, croyant qu'elle suivait une chimio, a aussitôt envoyé tous ses textes à des amis à elle bien placés à *Esquire*, au *New Yorker* et au *Harper's Bazaar*, mais que ça a laissé tout le monde indifférent. Bruce me dit de rappeler à Craig de lui rendre son étui à guitare. Il me demande si je vais voir mes parents à

East Hampton. Je lui réponds que, puisque les cours viennent juste de se terminer et qu'on est presque en septembre, je ne vois pas de raison d'y aller.

L'été dernier, Bruce et moi avons séjourné ensemble à Camden, et nous avons suivi les cours tous les deux, et c'est cet été-là que Bruce et moi avons nagé la nuit dans le lac Parrin, et cet été-là aussi qu'il a écrit sur ma porte les refrains de la chanson de « Petticoat Junction » parce que je me foutais de lui chaque fois qu'il la chantait, non pas parce que la chanson était drôle, mais à cause de la manière dont il la chantait : l'air sévère, et étrangement inexpressif. C'est cet été-là qu'on est allé à Saratoga et qu'on a été écouter The Cars, et plus tard, en août, Bryan Metro. Un été soûl, des nuits, de la chaleur, et le lac... Une image que je n'ai pas vue : mes mains fraîches parcourant son dos lisse et humide.

Bruce me dit de me caresser tout de suite, d'où je lui parle. La maison est silencieuse. Je chasse un moustique. « Je ne peux pas », je lui dis. Je me laisse lentement tomber à terre, sans lâcher le téléphone.

« C'est cool d'être riche, déclare Bruce.

— Bruce, je dis, Bruce. »

Il me parle de l'été dernier. Il évoque Saratoga, le lac, une soirée que j'ai oubliée dans un bar à Pittsfield.

Je ne réponds pas.

« Tu m'entends ? » demande-t-il.

Je dis « oui » dans un murmure.

« La liaison n'est pas terrible. »

Je regarde fixement un dessin : une tasse de cappuccino débordante de mousse de lait, sous laquelle est griffonné en noir : « *The futuren* ».

« Détends-toi », dit enfin Bruce dans un soupir.

Après avoir raccroché, je vais me changer dans ma chambre. Reynolds vient me chercher à sept heures et nous roulons vers un petit restaurant chinois à la périphérie de Camden. Il baisse soudain la radio quand je lui annonce que Bruce a téléphoné, et il me demande : « Alors, tu lui as dit ? » Je ne réponds pas. J'ai découvert au déjeuner que Reynolds est en ce moment avec un type appelé Brandy. Je n'arrive pas à penser à autre chose qu'à Robert sur son raft, quelque part en Arizona, contemplant peut-être une petite photo de Lauren, ou peut-être pas. Je secoue la tête et Reynolds remonte le son. Je regarde par la vitre. C'est la fin de l'été, l'été 1982.

2

Au point mort

« Ça fait un an, dit Raymond. Exactement un an. »

J'avais espéré que personne n'en parlerait, mais j'ai senti, à mesure que la soirée s'avançait, que quelqu'un allait faire une remarque. Seulement, je ne pensais pas que ce serait Raymond. Nous sommes tous les quatre chez Mario, un petit restaurant italien de Westwood Village et c'est un jeudi de la fin du mois d'août. Même si la rentrée n'a lieu qu'au début d'octobre, tout le monde sait que l'été se termine. Il n'y a pas grand-chose comme distraction. Une fête à Bel Air, à laquelle personne n'a envie de se rendre. Pas un seul concert en vue. Aucun d'entre nous n'a un seul rendez-vous. En fait, Raymond mis à part, je ne crois pas qu'un seul d'entre nous voie quiconque. Donc tous les quatre — Raymond, Graham, Dirk et moi — nous décidons d'aller dîner dehors. C'est seulement dans le parking du restaurant que je me rends compte que « ça fait exactement un an » ; je manque de prendre en plein pare-brise une amarante sèche entraînée par le vent. Je me gare et reste assis dans ma voiture. Pensant à cet anniversaire, je marche lentement, très lentement, vers la porte du restaurant ; je m'arrête

15

une bonne minute avant d'entrer, absorbé dans la contemplation de la carte affichée dans une petite vitrine. Je suis le dernier arrivé. La conversation a du mal à démarrer. Je tente en tout cas de l'orienter vers d'autres sujets : la nouvelle vidéo de Fixx, Vanessa Williams, le nombre d'entrées faites par *Ghostbusters*, les cours que nous allons peut-être suivre, quelle plage choisir pour aller faire du surf demain. Mais tout tombe à plat. Dirk raconte des histoires que nous connaissons tous et qui ne font rire personne. Nous passons la commande. Le garçon s'éloigne. Alors Raymond prend la parole.

« Ça fait un an, dit Raymond. Un an exactement.
— Un an que quoi ? » demande Dirk sans réelle curiosité.

Graham me jette un regard, puis il baisse les yeux.

Personne ne parle, pas même Raymond, pendant un bon moment.

« Tu le sais très bien, dit Raymond.
— Non, répond Dirk, Absolument pas.
— Mais si ! s'exclament en même temps Raymond et Graham.
— Arrête, Raymond, je dis.
— Non, ne me dis pas "arrête, Raymond", dis plutôt "arrête, Dirk" », s'écrie Raymond en regardant Dirk qui ne regarde personne.

Il se contente de fixer son verre d'eau bourré de glaçons.

« Fais pas le con », lance-t-il d'une voix douce.

Raymond se laisse retomber en arrière, l'air satisfait, mais un peu triste. Graham me regarde à nouveau. Moi, je détourne les yeux.

« Ça n'a pas semblé aussi long, hein, Tim ? murmure Raymond.

— Arrête, Raymond, je répète.

— Mais depuis quoi, à la fin ? dit Dirk, regardant enfin Raymond dans les yeux.

— Tu le sais très bien, Dirk, tu le sais.

— Non, je ne le sais pas, pourquoi est-ce que tu ne le dis pas carrément, dis-le !

— Je n'ai pas à le dire, marmotte Raymond.

— Mais vous êtes complètement débiles », déclare Graham, jouant avec un *gressini* qu'il propose à Dirk. Mais Dirk n'en veut pas.

« Allez, maintenant, Raymond, reprend Dirk. Tu as commencé, alors accouche !

— Mais dis-leur de la fermer, me dit Graham.

— Tu sais très bien de quoi je veux parler, s'obstine Raymond plus faiblement.

— Tais-toi, je dis dans un soupir.

— Allez, Raymond, insiste Dirk.

— Un an depuis que Jamie... » Sa voix se brise. Il fait grincer ses dents et détourne les yeux.

« Un an depuis que Jamie a fait quoi, Raymond ? demande Dirk d'un ton furieux. Depuis que Jamie a fait quoi ?

— Mais vous êtes vraiment débiles, dit Graham en riant, pourquoi est-ce que vous ne la fermez pas ? »

Raymond murmure quelque chose d'inaudible.

« Quoi ? dit Dirk. Qu'est-ce que tu racontes ?

— Depuis que Jamie est mort », finit-il par dire tout bas.

Curieusement cela a le don de faire taire Dirk qui sourit quand le garçon arrive avec les plats. Je ne voulais pas de haricots dans ma salade, et je l'avais précisé au garçon en passant ma commande, mais je juge déplacé de le lui faire remarquer maintenant.

Le garçon met une assiette de *mozzarella marinara* devant Raymond. Raymond la regarde fixement. Le garçon repart chercher les boissons. Raymond n'a pas quitté son assiette des yeux. Le garçon demande si nous avons tout ce qu'il nous faut, mais Graham est le seul à répondre d'un signe de tête.

« Il commandait toujours ça, dit Raymond.

— Bon Dieu, mais laisse tomber, ou alors commande autre chose. Tu n'as qu'à prendre un ormeau.

— Les ormeaux sont délicieux aujourd'hui, intervient le garçon.

— Je n'arrive pas à croire que tu joues à ce petit jeu, dit Raymond.

— Quel petit jeu ? Et toi, à quoi tu joues ? »

Dirk prend sa fourchette et la repose pour la troisième fois.

« Que tu fasses comme si tu t'en foutais complètement.

— Et pourquoi je m'en foutrais pas ? Jamie était un con. Il était sympa, mais con, OK ? C'est fini maintenant. Alors laisse tomber.

— C'était quand même un de tes meilleurs amis, lance Raymond d'un ton accusateur.

— C'était un con, et il n'a jamais été un de mes meilleurs amis, répond Dirk en riant.

— Tu étais son meilleur ami, dit Raymond, alors maintenant ne fais pas comme si tu ne l'avais pas été.

— Mon nom était écrit dans son agenda — d'accord ! Et c'est tout ! dit Dirk. C'était un petit con.

— Tu t'en fous.

— Qu'il soit mort ? Mais ça fait un an, Raymond !

— Je n'arrive pas à croire que ça ne te fasse rien.

— Si ne pas s'en foutre c'est chialer comme un

pédé..., dit Dirk en soupirant. Écoute, Raymond, ça fait longtemps.

— Un an seulement », déclare Raymond.

Quelques souvenirs de Jamie : Quand on s'est soûlé la gueule à un concert paroissial, en quatrième. Une cuite formidable aussi sur la plage de Malibu pendant une fête chez un copain de classe, un Iranien. Une sale blague qu'il a faite à des types de l'USC[1] pendant une soirée à Palm Springs — ça a fini par une vraie blessure pour Tad Williams. J'ai oublié la blague, mais je me souviens de Raymond, Jamie et moi trébuchant dans un couloir de l'hôtel Hilton Riviera, complètement sonnés, de guirlandes de Noël, d'un œil sorti de son orbite, d'une voiture de pompiers qui arrive trop tard, d'un panneau au-dessus d'une porte « Entrée interdite ». Un plan coke avec lui sur un yacht au bal de fin d'année de notre classe et lui me disant que j'étais sûrement son meilleur copain. Je préparais une autre ligne de coke sur une table en laque noire et je lui posais des questions sur Raymond, sur Dirk, sur Graham, sur quelques stars de cinéma. Jamie a répondu qu'il aimait bien Graham et Dirk, mais pas vraiment Raymond. « Il est bidon », furent ses paroles exactes. Encore une ligne et il a ajouté qu'il me comprenait très bien, ou quelque chose comme ça, et après une autre ligne je me suis laissé convaincre parce qu'il est plus facile d'aller dans le sens du courant que de lutter contre.

---

1. University of South California. (Toutes les notes sont du traducteur.)

Un soir de la fin août, sur la route de Palm Springs, Jamie a voulu allumer un joint et il a perdu le contrôle de la voiture soit parce qu'il roulait trop vite, soit parce qu'il a perdu conscience et la BMW s'est envolée au-dessus du fossé et il a été tué sur le coup. Dirk le suivait. Ils allaient passer le week-end d'avant *Labor day* chez les parents de Jeffrey à Rancho Mirage et ils venaient de quitter une soirée où nous étions tous à Studio City. C'est Dirk qui a sorti le corps sanglant et désarticulé de Jamie de la voiture et qui a arrêté un type qui se rendait à Las Vegas pour construire un court de tennis ; le type a été jusqu'à l'hôpital le plus proche et une ambulance est arrivée une heure dix plus tard, et pendant tout ce temps Dirk était resté assis dans le désert à regarder fixement le cadavre. Dirk n'en a jamais beaucoup parlé ; on a juste eu quelques détails une semaine après : la BMW avait dérapé, puis fait des tonneaux sur le sable, renversé un cactus géant ; le corps de Jamie avait à moitié traversé le pare-brise, Dirk l'avait tiré, allongé sur le sable, et fouillé dans les poches de Jamie pour chercher un autre joint. J'ai été souvent tenté d'aller sur les lieux de l'accident, mais je ne mets plus jamais les pieds à Palm Springs parce qu'à chaque fois je me sens déprimé et c'est trop pénible.

« Je ne peux pas croire, les mecs, que ça ne vous fait rien, dit Raymond.

— Raymond ! nous exclamons-nous, Dirk et moi, à l'unisson.

— On n'y peut absolument rien, j'ajoute.

— Ouais, dit Dirk. Qu'est-ce que tu veux qu'on y fasse ?

— Ils ont raison, Raymond, reprend Graham. C'est derrière nous

— En fait, tout est flou dans ma mémoire », dit Dirk.

Je regarde tour à tour Raymond et Dirk.

« Il est mort et tout ça, mais ça ne prouve pas qu'il n'était pas con, déclare Dirk en repoussant son assiette.

— Il n'était pas con, Dirk, je réponds en riant soudain. C'est toi, le con.

— Qu'est-ce que tu racontes, Tim ? dit Dirk en me regardant bien dans les yeux. Après la saloperie qu'il a faite avec Carol Banks ?

— Oh, merde ! s'écrie Graham.

— Quelle saloperie avec Carol Banks ? » je demande après un instant de silence.

Carol et moi sommes sortis ensemble de temps à autre pendant nos années de fac et de lycée. Elle est partie à Camden juste quelques jours avant la mort de Jamie. Je ne lui ai pas adressé la parole depuis un an. Je ne crois même pas qu'elle soit revenue cet été.

« Il couchait avec elle derrière ton dos, dit Dirk avec un plaisir manifeste.

— Il se l'est tapée dix ou douze fois, Dirk, ajoute Graham. N'essaie pas de nous faire croire que c'était juste un coup en passant. »

Je n'avais jamais vraiment aimé Carol Banks de toute façon. Je lui avais fait cadeau de ma virginité à peu près un an avant que nous ne commencions à vraiment sortir ensemble. Mignonne, blonde, pas mauvaise au lit, mais rien de plus. Carol me traitait toujours de « nonchalant », un mot que je ne comprenais pas et que j'ai souvent cherché sans le trouver dans les dicos de français. J'avais toujours eu le sentiment qu'il s'était passé quelque chose entre

Jamie et elle, mais comme je ne l'aimais pas vraiment — sauf au lit et encore —, je reste assis, immobile, indifférent à ce qu'ils peuvent bien raconter.

« Alors on dirait que vous étiez tous au courant ? je demande.

— Tu m'as toujours dit que tu n'aimais pas vraiment Carol, affirme Graham.

— Mais vous le saviez tous ? j'insiste. Raymond, toi aussi ? »

Raymond louche un instant, les yeux fixés sur un objet invisible, puis il finit par faire oui de la tête sans rien dire.

« Et alors ? Hein, c'est pas l'affaire du siècle, non ? reprend Graham, pour dire quelque chose.

— On va au ciné, ou quoi ? dit Dirk en soupirant.

— Je n'arrive pas à croire que ça ne vous fait rien, s'exclame soudain Raymond d'une voix forte.

— Tu veux aller au ciné ? me demande Graham.

— Je ne peux pas croire que ça ne vous fait rien, répète Raymond, mais plus bas cette fois.

— Moi j'y étais, connard, dit Dirk en attrapant Raymond par le bras.

— Oh, merde, c'est lourd, dit Graham en se tortillant sur son siège. Tais-toi, Dirk.

— Oui, j'y étais, recommence Dirk en ignorant sa remarque, la main toujours sur le poignet de Raymond. C'est moi qui suis resté et qui l'ai sorti de cette bagnole de merde. C'est moi qui l'ai vu perdre tout son sang et crever. Alors arrête de me chercher, Raymond, d'accord ? Si ça peut te faire plaisir, disons que je m'en fous. »

Raymond a déjà commencé à pleurer, il s'arrache à Dirk, se lève et se dirige vers les toilettes. Les rares clients restés dans la salle nous regardent. Le masque de Dirk se décompose un peu. Graham a l'air plutôt angoissé. Je soutiens sans broncher le regard d'un jeune couple à deux tables de la nôtre jusqu'à ce qu'ils détournent les yeux.

« Quelqu'un devrait aller lui parler, je propose,
— Pour lui dire quoi ? demande Dirk. Mais pour lui dire quoi, putain ?
— Rien, quoi, juste lui parler, je murmure d'une voix moins assurée.
— Eh bien, ce sera pas moi », dit Dirk en croisant les bras et en évitant de regarder Graham ou moi.

Je me lève.

Dirk dit : « Jamie pensait que Raymond était un connard. Un connard, tu comprends ? Il pouvait pas supporter sa gueule. Il était copain avec lui uniquement à cause de nous, Tim. »

Après un petit silence, Graham déclare : « Il a raison, mon pote.
— Je croyais que Jamie avait été tué sur le coup, je dis sans me rasseoir.
— Il l'a été, rétorque Dirk. Pourquoi ?
— Tu as dit à Raymond que tu l'avais vu perdre tout son sang et crever ?
— Bon Dieu, qu'est-ce que ça change ? Vraiment ! s'écrie Dirk. Bordel, ses parents avaient organisé une veillée mortuaire chez Spago et tout ça ! Mais enfin, merde, arrête. Qu'est-ce que ça change ?
— Non, sans blague, Dirk, je dis. Pourquoi est-ce que tu as raconté ça à Raymond ? » Je m'arrête. « C'est la vérité, ou non ? »

Dirk lève les yeux.

— J'espère qu'il s'est senti encore plus nul.

« — Ouais ? » je soupire en essayant de ne pas sourire.

Dirk me regarde fixement, puis il s'arrête ; ça a cessé de l'intéresser.

« Tu ne comprends jamais rien, Tim. À première vue, ça va, mais en fait tu piges que dalle. »

Je quitte la table et me dirige vers les toilettes. La porte est fermée à clé. Malgré le bruit d'une chasse d'eau qu'on ne cesse pas de tirer, je distingue les sanglots de Raymond. Je frappe.

« Raymond, c'est moi, laisse-moi entrer. »

La chasse d'eau s'interrompt. Je l'entends renifler, puis se moucher.

« Ça va aller, dit-il.

— Laisse-moi entrer. » Je tourne la poignée. « Allez, ouvre-moi. »

La porte s'ouvre. C'est un petit W.-C. ; Raymond est assis sur le siège, dont le couvercle est rabattu. Il se remet à pleurer, le visage bouffi, les yeux rougis. Je suis si surpris de voir Raymond à ce point ému que je m'appuie sur la porte et le regarde fixement serrer les poings de désespoir.

« C'était mon ami », dit-il entre deux sanglots.

Je contemple un carreau jauni sur le mur pendant un bon moment, tout en me demandant pourquoi le garçon que j'avais expressément prié de ne pas mettre des haricots dans ma salade l'a fait quand même. Où donc est-il né ? Pourquoi est-il venu travailler chez Mario ? N'a-t-il donc pas regardé la salade ? Ne comprend-il donc rien à rien ?

« Il t'aimait bien aussi..., je déclare enfin.

— C'était mon meilleur ami. » Raymond tente d'arrêter de pleurer en se cognant la tête sur le mur.

J'essaie de me pencher vers lui, de me montrer affectueux et je dis : « Allez...

— C'est vrai, dit Raymond en pleurnichant.

— Allez, lève-toi, ça va aller. On va au cinéma. » Raymond lève les yeux et dit : « Tu crois ?

— Oui, Jamie t'aimait bien aussi. » Je prends Raymond par le bras. « Il n'aurait pas aimé te voir dans cet état.

— Oui, il m'aimait bien, dit-il ou se demande-t-il.

— Oui, vraiment », je répète en retenant difficilement un sourire.

Raymond tousse, prend un bout de papier hygiénique pour se moucher, puis il se passe le visage à l'eau froide et déclare qu'il lui faudrait un joint pour se remettre.

Nous retournons tous les deux à la table et essayons de manger un peu, mais tout est froid et ma salade est déjà partie. Raymond commande une bouteille de bon vin que le garçon apporte avec quatre verres et Raymond veut faire un toast. Dès que les verres sont pleins, il nous propose de les lever ; Dirk nous regarde comme si nous avions perdu la tête et refuse ; il vide son verre avant que Raymond ne dise à peu près : « À ta santé, vieux ! Tu nous manques ! » Je lève mon verre, l'air idiot, Raymond me regarde, le visage gonflé, souriant malgré tout, dans les vapes, à l'instant même où Raymond lève son verre et où Graham se lève pour aller téléphoner, je revois Jamie d'une manière si fulgurante, si vivante, qu'il me paraît impossible que sa voiture ait quitté la route dans le désert cette nuit-là. On dirait presque que cet enfoiré est ici parmi nous, et que, si je me retourne, il sera là, le verre levé comme les autres, souriant, moqueur, secouant la tête avec l'air de dire : « Bande de crétins ! »

J'avale une petite gorgée, prudemment pour commencer, comme si cette gorgée allait sceller à tout jamais quelque chose.

« Désolé, dit Dirk. Non, je ne peux pas... »

3

L'escalator qui monte

Je suis sur le balcon de l'appartement de Martin à Westwood, un verre dans une main, une cigarette dans l'autre. Martin fonce sur moi, et, avec les deux mains, il me pousse par-dessus le balcon. L'appartement de Martin à Westwood n'est qu'au deuxième étage, aussi la chute n'est pas trop longue. En tombant, j'espère que je vais me réveiller avant de toucher le sol. Je heurte l'asphalte en atterrissant sur le ventre, le cou complètement tordu, et je lève les yeux pour apercevoir le beau visage de Martin qui se penche sur moi avec un sourire bienveillant. C'est le côté serein de son sourire — et pas du tout la chute ou l'image imaginée de mon corps désarticulé et sanglant — qui me réveille.

Je fixe le plafond, puis le réveil digital sur la table de nuit, qui m'annonce qu'il est presque midi ; j'espère sans vraiment y croire que j'ai mal lu, je ferme les yeux très fort, mais quand je les rouvre, le réveil me répète qu'il est presque midi. Je lève un peu la tête et regarde les petits chiffres rouges qui clignotent sur le Betamax, qui m'annoncent la même chose que les aiguilles du réveil couleur melon : il est presque midi. J'essaie de me rendormir, mais le Librax que j'ai avalé au petit matin ne fait plus d'effet ; j'ai la bouche sèche, j'ai soif. Je me lève lentement, me dirige vers la salle de bains et quand je tourne le robinet, en me regardant longuement dans la glace, je suis bien obligée de remarquer ces nouvelles rides qui se forment autour de mes yeux. Je détourne mon regard et me concentre sur l'eau froide qui coule du robinet en remplissant le creux de mes mains.

J'ouvre une armoire à glace et en extrais un flacon. J'ouvre son bouchon et compte les Librax qui restent : quatre seulement. Je prends une capsule noir et vert dans la main, la contemple, je la place délicatement près du lavabo, referme la bouteille, j'ouvre un autre flacon, et je place deux Valium près des Librax. Je range le flacon et en attrape un autre encore que j'ouvre avec précaution. Je remarque qu'il ne reste presque pas de Thorazine, et je me dis qu'il va me falloir une nouvelle ordonnance de Librax et de Valium ; j'avale un Librax et l'un des deux Valium et j'ouvre le robinet de la douche.

J'enjambe la bordure de la douche au carrelage noir et blanc. L'eau, fraîche au premier abord, puis plus chaude, me fouette le visage, me ramollit, et tandis que je me laisse tomber à genoux, la capsule noir et vert toujours au fond de la gorge, j'imagine un instant que l'eau est de teinte aigue-marine ; j'ouvre les lèvres, baisse la tête en arrière pour laisser un peu d'eau entrer dans ma gorge afin d'avaler le cachet. Lorsque j'ouvre les yeux, je me mets à gémir quand je m'aperçois que l'eau n'est pas bleue, mais claire, légère et chaude, au point de faire rougir la peau de ma poitrine et de mon ventre.

Je m'habille et je descends, déprimée déjà à l'idée de tout ce qu'il faut faire rien que pour se préparer à la journée. À l'idée du temps que je passe à errer sans but précis dans le dressing, à y dénicher les chaussures que je veux, à l'effort que je dois faire pour me relever de dessous la douche. On parvient à tout oublier si on descend l'escalier lentement, méthodiquement, en se concentrant sur chaque pas. J'atteins le bas des marches et j'entends des voix venant de la cuisine, je me dirige vers elles. De là où je suis, je peux apercevoir mon fils et un autre garçon qui fouillent les placards à la recherche de quelque chose à manger, tandis que la bonne est assise devant l'énorme table de bois massif, les yeux fixés sur des photos du *Herald Examiner* d'hier. Elle a jeté ses sandales sur le carrelage, et je vois ses ongles de pied teintés en bleu. La chaîne marche à fond et une voix de femme chante « *I found a picture of you*[1] ». J'entre dans la cuisine, Graham lève les yeux de derrière la porte du réfrigérateur et dit, sans un sourire : « Déjà debout ?

— Pourquoi tu n'es pas en classe ? je demande en faisant semblant d'être préoccupée au moment où je passe devant lui pour prendre un Tab[2] dans le réfrigérateur.

— On sort plus tôt le lundi. »

Je le crois, sans raison valable. J'ouvre la bouteille de Tab et en avale une gorgée. J'ai l'impression que le cachet que j'ai pris tout à l'heure est resté coincé dans ma gorge et qu'il y fond lentement. Je bois encore une gorgée.

Graham passe devant moi et prend une orange dans le frigo. L'autre garçon, grand et blond

---

1. J'ai trouvé une photo de toi.
2. Soda diététique.

— comme Graham —, est debout près de l'évier ;
il regarde par la fenêtre en direction de la piscine.
Graham et l'autre garçon ont encore leur uniforme
de l'école sur le dos et ils se ressemblent beaucoup.
Graham épluche une orange, l'autre regarde l'eau
de la piscine. J'ai du mal à ne pas m'énerver devant
leur attitude, aussi je détourne les yeux, mais la
vision brutale de la bonne, ses sandales à côté de
ses pieds, l'odeur de marijuana qui sort nettement
de son sac et qui imprègne ses vêtements, me semble encore pire, et j'avale une autre gorgée de Tab,
avant de vider le reste dans l'évier. Je m'apprête à
sortir de la cuisine.

Graham se tourne vers son copain. « Tu as envie
de regarder MTV ?

— Non... euh... non », dit l'autre, sans cesser de
regarder la piscine.

Je prends mon sac resté sur une étagère près du
réfrigérateur, et je vérifie que mon portefeuille y est
toujours parce que, la dernière fois que je suis allée
chez Robinson, il n'y était pas. Je m'avance vers la
porte. La bonne replie son journal. Graham enlève
son survêtement de l'école — couleur bordeaux.
L'autre garçon veut savoir si Graham a bien *Alien*
en cassette. La voix de femme chante maintenant
« *Circumstances beyond control* [1] » sur la chaîne hi-
fi. Je m'aperçois que je regarde fixement mon fils,
grand, blond, bronzé, avec des yeux verts, qui ouvre
le réfrigérateur pour y prendre une autre orange. Il
l'observe attentivement, puis lève la tête et m'aperçoit près de la porte.

« Tu vas quelque part ? demande-t-il.

— Oui. »

Il ne dit rien et, voyant que je ne lui donne aucun

---

1. La situation m'échappe.

détail, il hausse les épaules, se détourne, commence à peler son orange, et c'est seulement en route vers Le Dôme, où je vais rejoindre Martin, que je m'aperçois que Graham n'a qu'un an de moins que Martin ; cela m'oblige à arrêter la Jaguar le long du trottoir de Sunset Boulevard, je baisse le son de la radio, ouvre une vitre, puis le toit ouvrant ; j'attends que la chaleur du soleil réchauffe l'intérieur de la voiture tout en concentrant mon attention sur une amarante sèche que le vent pousse lentement à travers le boulevard.

Martin est installé au bar rond du Dôme. Il porte un complet-cravate et il tape du pied avec impatience au rythme de la musique diffusée par les haut-parleurs du restaurant. Il m'observe dès que je m'avance vers lui.

« Tu es en retard, dit-il en me montrant l'heure sur une Rolex en or.

— C'est vrai, asseyons-nous. »

Martin regarde sa montre, puis son verre vide, puis moi, et je serre très fort mon sac contre moi. Martin soupire puis fait un signe. Le maître d'hôtel nous conduit à notre table, nous nous asseyons, et Martin me parle de ses cours à l'université de Los Angeles, puis de ses parents qui l'exaspèrent, qui sont venus sans s'annoncer à son appartement à Westwood, et il m'explique que son beau-père voulait qu'il vienne à un dîner qu'il donnait au restaurant Chasen, mais Martin n'avait pas envie d'aller à un dîner que son beau-père donnait chez Chasen, et des mots un peu désagréables ont été échangés.

Je regarde par la fenêtre, je vois un chasseur près d'une Rolls-Royce, qui la contemple et marmonne tout seul. Quand Martin se plaint de sa BMW, du prix de l'assurance, je l'interromps.

« Pourquoi tu m'as appelée à la maison ?

— Je voulais te parler, je voulais annuler le rendez-vous.

— Je t'ai déjà dit de ne pas m'appeler chez moi.

— Pourquoi ? Il y a quelqu'un que ça dérange ? »

J'allume une cigarette.

Il repose sa fourchette près de son assiette et détourne les yeux.

« Nous sommes en train de manger au Dôme ! dit Martin. Je veux dire, bon Dieu !

— C'est d'accord ?

— Bon. D'accord. »

Je demande l'addition, la règle, et je suis Martin jusqu'à son appartement de Westwood. Nous faisons l'amour et j'offre à Martin un casque colonial.

Je suis allongée près de la piscine sur une chaise longue. Des numéros de *Vogue*, du *Los Angeles Magazine* et les pages spectacle du *Los Angeles Times* sont empilés près de moi, mais je n'arrive pas à lire parce que la couleur de l'eau attire mon regard plus que les mots, et je regarde fixement, avec une certaine avidité, l'eau bleue. J'ai envie d'aller nager, mais la chaleur du soleil a trop réchauffé l'eau, et puis l'excellent Dr Nova met en garde contre la natation quand on prend du Librax.

Un garçon est en train de nettoyer la piscine ; il est jeune, bronzé et blond, il ne porte pas de chemise, mais seulement des jeans blancs très serrés, et lorsqu'il se penche pour vérifier la température de l'eau, les muscles de son dos se contractent joliment sous la peau brune et propre. Il a apporté un lecteur de cassettes qu'il a posé au bord du jacuzzi, il se passe « *Our love's in jeopardy*[1] » et j'espère que le bruissement des palmiers sous le vent chaud va emporter la musique jusqu'à Sutton's Yard. Je suis étonnée par l'air concentré du jeune employé, les petites vagues que fait l'eau lorsqu'il tire son filet à la surface, sa manière de vider le filet, qui a attrapé des feuilles et des libellules multicolores jonchant la surface miroitante de l'eau. Il ouvre un conduit d'évacuation, les muscles de son bras tendus, très légèrement, pendant un court instant. Et je l'observe, transportée, alors qu'il soulève quelque chose avec le bras, du fond du trou, les muscles momentanément bandés, les cheveux blonds flottant au vent, illuminés par le soleil. Je m'agite un peu sur ma chaise longue, sans bouger les yeux.

Le garçon sort le bras du conduit, il en extrait deux formes molles et grisâtres et les laisse tomber, dégouttantes d'eau, sur le béton, en les regardant fixement. Il ne les quitte pas des yeux pendant un bon moment. Puis il se dirige vers moi. Je perds mes moyens, ajuste mes lunettes de soleil, cherche ma crème solaire. Mais il s'avance très lentement vers moi, le soleil est très chaud, j'allonge les jambes et je passe de la crème sur la face intérieure de mes cuisses, puis sur mes jambes, mes genoux, mes chevilles. Il est debout au-dessus de moi. Le Valium que j'ai pris plus tôt me fait tout voir de travers, j'ai l'impression que le fond du décor bouge doucement. Une ombre me couvre le visage et me permet de regarder le garçon, et j'entends de nouveau « *Our love's in jeopardy* » ; il ouvre la bouche, les lèvres pleines, les dents blanches, propres et régulières, et j'ai soudain une envie folle de lui dire de m'empor-

_____
1. Notre amour est en danger.

ter jusqu'à la camionnette pick-up blanche garée en bas de l'allée, et qu'il me demande de partir dans le désert avec lui. Ses mains, sentant le chlore, passeraient la crème dans mon dos, sur mon estomac, mon cou. Et pendant qu'il me regarde, avec ce rock qui s'échappe du lecteur de cassettes, les palmiers qui se balancent dans ce vent chaud et sec, la brûlure du soleil qui incendie la surface de la piscine, de plus en plus crispée, j'attends qu'il m'adresse un signe, un simple soupir, un grognement. J'inspire profondément, je regarde fixement le garçon à travers mes verres teintés, je suis toute tremblante.

« Il y a deux rats morts dans votre tuyau d'évacuation. »

Je ne dis rien.

« Des rats. Deux rats crevés. Ils ont été pris dans le tuyau, ou bien ils sont tombés dans la piscine, qui sait. » Il me regarde d'un air indifférent.

« Pourquoi... pourquoi me dites-vous ça ? » je lui demande.

Il reste debout là sans bouger, il s'attend visiblement à ce que j'ajoute quelque chose. J'ôte mes lunettes et je regarde les deux formes grises près du jacuzzi.

« Enlevez-les... » Je finis par arriver à lui dire ça, sans le regarder.

« OK ! répond-il, les mains dans les poches. Mais je ne vois pas comment ils ont pu se faire prendre là-dedans. »

Cette déclaration, qui en réalité est une question, est assenée d'une voix tellement paresseuse que, même si elle n'appelle pas de réponse, je ne peux m'empêcher de rétorquer : « Oh, je crois... qu'on ne le saura jamais. »

Je regarde la couverture d'un numéro du *Los Angeles Magazine*. Un énorme jet d'eau sort d'une fontaine, avec des reflets bleus, verts et blancs, et semble viser le ciel.

« Les rats ont peur de l'eau, affirme le garçon.

— Oui, je sais, on me l'a déjà dit. »

Il retourne jusqu'aux deux rats crevés, les attrape par la queue qui devrait être rose mais a déjà viré au bleu pâle, je le vois bien de ma place, et il les met dans ce que j'ai pris pour sa boîte à outils. Pour chasser cette image du garçon partant avec les rats, je rouvre mon magazine, et je cherche l'article sur la fontaine de la couverture.

Je suis assise dans un restaurant sur Melrose Avenue, avec Anne, Eve et Faith. J'en suis à mon second Bloody Mary, Anne et Eve ont déjà bu quelques kirs de trop, et Faith est en train de commander ce qui est probablement sa quatrième vodka gimlet. J'allume une cigarette. Faith explique que son fils Dirk s'est fait chiper son permis de conduire pour excès de vitesse et conduite en état d'ivresse sur l'autoroute côtière. C'est Faith qui conduit à présent la Porsche de Dirk. Je me demande si Faith sait que son fils vend de la cocaïne à des élèves de terminale de Beverly Hills High School. C'est Graham qui me l'a raconté dans la cuisine la semaine dernière alors que j'avais insisté pour qu'il ne me parle pas de Dirk. L'Audi de Faith est à réparer pour la troisième fois cette année. Elle veut s'en débarrasser, mais elle ne sait pas quoi acheter à la place. Anne lui explique que, depuis qu'elle a fait mettre un nouveau moteur dans sa XJ6, elle n'a plus d'ennuis. Anne se tourne vers moi et me demande ce que je pense de ma voiture, et de celle de William. Au bord des larmes, je lui dis qu'elle marche très bien.

Eve ne dit pas grand-chose. Sa fille est dans un

hôpital psychiatrique à Camarillo. Elle a tenté de se suicider en se tirant une balle dans l'estomac. Je n'arrive pas à comprendre pourquoi elle n'a pas visé la tête. Pourquoi elle s'est allongée sur le sol de la penderie de sa mère et a visé son estomac avec le revolver de son beau-père. J'essaie de me représenter l'enchaînement des événements qui a conduit, cet après-midi-là, au coup de feu. Mais Faith explique que la thérapie que suit sa fille est en bonne voie. Sheila, c'est son prénom, est anorexique. Ma fille a rencontré Sheila, elle est peut-être bien anorexique elle aussi.

Un silence désagréable s'installe enfin autour de la table, et je regarde fixement Anne qui a oublié de maquiller les cicatrices qu'elle a gardées du lifting qu'elle s'est fait faire il y a trois mois à Palm Springs ; nous avons le même chirurgien esthétique, Anne, William et moi. J'envisage de leur parler des rats de ma piscine, ou de ce garçon qui a tourné autour de moi avant de disparaître, mais je préfère allumer une nouvelle cigarette. Le son de la voix d'Anne, rompant le silence, me fait sursauter et je me brûle un doigt avec mon briquet.

Mercredi matin, William, tout juste levé, me demande où est le Valium, je me lève à mon tour, en trébuchant, pour aller le chercher dans mon sac à main ; il me rappelle que nous avons réservé une table chez Spago pour huit heures, puis j'entends les pneus de la Mercedes crisser sur l'allée. Susan me dit qu'elle ira à Westwood avec Alana et Blair après la classe et qu'elle nous retrouvera directement chez Spago. Je me rendors et je rêve de rats qui se noient, grimpant les uns sur les autres avec l'énergie du désespoir, dans un jacuzzi plein de mousse et de vapeur, alors qu'une douzaine d'employés de piscine, nus, penchés au-dessus du jacuzzi, rient en regardant les rats se noyer ; leurs têtes battent le rythme d'une musique crachée par des appareils qu'ils tiennent dans leurs bras dorés. Je me réveille en sursaut, je descends l'escalier et prends un Tab dans le réfrigérateur, je trouve vingt milligrammes de Valium dans une boîte à pilules cachée dans un porte-monnaie près du réfrigérateur ; j'en prends dix milligrammes. De la cuisine, j'entends la bonne passer l'aspirateur dans le salon, ce qui me pousse à m'habiller ; je prends la voiture et roule jusqu'à un Drugstore Thrifty à Beverly Hills, je marche jusqu'à la pharmacie en serrant dans ma main le flacon vide qui contenait des capsules vert et noir. Le magasin a l'air conditionné ; il y fait très frais et l'effet combiné de l'éclairage fluorescent et de la musique tombant du plafond me décontracte instantanément, je desserre mes doigts autour du flacon de plastique marron.

Au comptoir, je tends le flacon vide au pharmacien, qui chausse ses lunettes et l'inspecte d'un air concentré. Je fais semblant d'examiner mes ongles et essaie de retrouver, sans succès, le nom de la chanson que diffusent les haut-parleurs du magasin.

« Mademoiselle ? me lance le pharmacien, mal à l'aise.

— Oui ? » J'ôte mes lunettes de soleil.

« Il est écrit ici "recharge interdite".

— Quoi ? je lui demande, surprise. Où ça ? »

Le pharmacien m'indique deux mots imprimés au bas de l'étiquette collée à côté du nom de mon psychiatre, et, en même temps, la date : 10 octobre 1983.

« Je crois que le Dr Nova a dû se tromper, je réponds en balbutiant.

— Désolé, dit le pharmacien, je ne peux rien faire pour vous. »

Je regarde de nouveau mes ongles et cherche quoi dire, et ne trouve rien d'autre que :

« Mais j'en ai besoin.

— Je regrette », dit le pharmacien, visiblement mal à l'aise, en sautillant d'un pied sur l'autre.

Il me rend le flacon et, alors que j'essaie vainement de le lui donner à nouveau, il hausse les épaules.

« Votre médecin avait ses raisons pour demander que l'on ne prolonge pas l'ordonnance », dit-il avec gentillesse, comme s'il s'adressait à un enfant.

J'essaie de rire, je m'essuie le visage et je dis avec une gaieté feinte :

Oh, il me fait tout le temps des blagues. »

En rentrant à la maison, je repense au regard du pharmacien ; je croise la bonne, qui traîne derrière elle une odeur de marijuana, et je m'enferme dans ma chambre, je tire les rideaux, me déshabille, je mets une cassette dans le magnétoscope, je me glisse dans les draps frais et je pleure durant une bonne heure en essayant de regarder le film ; j'avale encore un peu de Valium, et je mets la salle de bains sens dessus dessous pour retrouver un vieux tube de Nembutal ; puis je range mes chaussures dans le dressing, remets une deuxième cassette dans le magnétoscope, je rouvre les fenêtres et l'odeur puissante des bougainvilliers pénètre dans la chambre. J'allume une cigarette et me passe de l'eau fraîche sur le visage.

J'appelle Martin.

« Allô ? dit une voix jeune qui n'est pas celle de Martin.

— Martin ? je hasarde sans conviction.
— Euh... non, ce n'est pas Martin. »
Après un silence, j'interroge : « Martin est-il là ?
— Attendez, je vais voir... »
J'entends le bruit du combiné qu'on repose, et j'ai envie de rire à l'idée qu'un garçon sans doute jeune, bronzé, blond, comme Martin, se trouve là-bas, pose le téléphone, va à la recherche de Martin dans ce petit appartement de trois pièces, mais cela ne me semble pas drôle, finalement. Le garçon reprend l'appareil.

« Je crois qu'il est à la plage », dit-il sans conviction.

Je reste silencieuse.

« Voulez-vous laisser un message ? » demande-t-il sournoisement, puis il ajoute : « Mais attendez... Vous n'êtes pas Julie, la fille qu'on a rencontrée avec Mike sur la route 385 ? avec la Rabbit ? »

Je reste silencieuse.

« Vous aviez presque trois grammes sur vous et une Volkswagen blanche ? »

Je reste silencieuse.

« Eh... allô ?
— Non.
— Vous n'avez pas une Volkswagen blanche ?
— Je rappellerai.
— Comme vous voudrez. »
Je raccroche, en me demandant qui peut bien être ce garçon, et s'il est au courant de ce qu'il y a entre Martin et moi, et je me demande aussi si Martin est allongé sur le sable, une bière à la main, ou une cigarette, à l'ombre d'un parasol rayé au club de la plage, avec des lunettes de soleil Wayfarer, les cheveux bien tirés en arrière, et les yeux fixés sur la ligne où la terre et la mer se confondent. Peut-être en fait est-il allongé sur son lit, dans sa chambre,

sous un poster des Go-Go's, en train de réviser son exam de chimie, tout en parcourant les annonces pour une nouvelle BMW. Je m'endors jusqu'au clic annonçant la fin de la cassette dans le magnétoscope. Tout est calme.

Je suis assise avec mon fils et ma fille à la table d'un restaurant de Sunset Boulevard. Susan porte une minijupe achetée chez Flip, sur Melrose Avenue, tout près de l'endroit où je me suis brûlé le doigt au déjeuner avec Eve, Faith et Anne. Susan porte aussi un T-shirt où l'on peut lire LOS ANGELES tracé en lettres rouges manuscrites, comme avec du sang pas encore séché qui aurait coulé. Elle porte aussi un vieux blouson Levi's avec un pin's des Stray Cats accroché sur un des revers fanés, et elle a ses Wayfarer sur les yeux. Elle prend la tranche de citron qui flotte dans son verre d'eau et la mâchonne, surtout les bords. Je ne sais plus si nous avons passé ou non la commande, je me demande qui sont les Stray Cats.

Graham est assis près de Susan, et je suis presque sûre qu'il est défoncé. Il regarde vaguement par la fenêtre et fixe les lumières des phares des voitures qui passent. William téléphone au studio. Il est en train de mettre le point final à un gros contrat et c'est plutôt une bonne chose. Il n'a rien dit de précis ni sur le scénario, ni sur les acteurs, ni sur le financement. D'après la rumeur, il s'agit de la suite d'un film qui a fait un tabac pendant l'été 82, l'histoire très drôle d'un Martien qui ressemble à un gros grain de raisin. William a déjà été téléphoner quatre fois au fond de la salle depuis notre arrivée, et j'ai l'impression, moi, qu'il quitte la table et va se planquer au fond de la salle simplement parce qu'à la table voisine une certaine actrice est installée avec un très jeune surfeur et qu'elle ne quitte pas William des yeux lorsqu'il est assis. Je sais que cette actrice a couché avec William, et l'actrice sait que je le sais, aussi, lorsque nos regards se croisent par hasard, nous détournons brusquement les yeux.

Susan murmure une chanson en battant le rythme sur la table de ses doigts. Graham allume une cigarette, sans nous demander notre avis, et ses yeux, rouges et mi-clos, s'embuent un instant.

« Ma voiture fait un bruit bizarre, dit Susan, je crois que je vais l'emmener au garage. » Elle tapote le rebord de ses lunettes de soleil.

« Si elle fait un drôle de bruit, emmène-la, dis-je.

— Ouais, mais j'en ai besoin ! Je vais voir les Psychedelic Furs au Civic vendredi et j'ai totalement besoin de ma bagnole. » Susan jette un coup d'œil à Graham. « Enfin, si Graham a mes billets.

— Ouais, je les ai, tes tickets, jette Graham, avec un effort manifeste. Et s'il te plaît, arrête de dire *totalement* à tout bout de champ.

— Qui est-ce qui te les a refilés ? dit Susan en continuant à tapoter ses lunettes de soleil.

— Julian.

— Ça m'étonnerait.

— Ouais, et pourquoi ? demande Graham qui fait semblant d'être agacé mais qui a l'air crevé.

— Une épave comme lui, je suis sûre qu'il a déniché des places pourries. C'est un sac à coke », déclare Susan. Elle arrête de tapoter ses lunettes, et regarde Graham dans les yeux. « Exactement comme toi. »

Graham fait oui de la tête, lentement, sans rien dire. Avant que j'aie eu le temps de lui demander de se défendre devant sa sœur, il murmure : « Ouais, exactement comme moi.

— Il vend de l'héroïne », dit Susan d'une voix tranquille.

Je jette un coup d'œil à l'actrice, elle tient fermement la cuisse du surfeur, qui avale une pizza.

« En plus, c'est un prostitué », ajoute Susan.

Un long silence s'ensuit. « Est-ce que tu dis ça pour moi ? je demande d'une voix douce.

— C'est un mensonge total, finit par répondre Graham. Qui t'a raconté ces conneries ? Cette garce de Silicon Valley, Sharon Wheeler ?

— Pas vraiment, non. Je sais que le propriétaire de la boîte les Seven Seas a couché avec lui et que Julian a maintenant entrée libre et toute la coke qu'il veut. » Susan soupire d'un air moqueur et ajoute : « D'ailleurs, c'est drôle, ils ont tous les deux chopé un herpès. »

Cela déclenche l'hilarité de Graham qui aspire une bouffée de sa cigarette et dit : « Julian n'a pas d'herpès et il n'a rien chopé du tout avec le patron des Seven Seas. » Arrêt, bouffée. « Il a attrapé une maladie vénérienne de Dominique Dentrel. »

William s'assied. « Bon Dieu, ce sont mes propres enfants qui parlent comme ça ? Oh, s'il te plaît, Susan, enlève tes lunettes de soleil à la con. On est chez Spago ici, pas à cette merde de Beach Club. » William engloutit la moitié d'un pichet de vin blanc gazeux, que je l'ai déjà vu vider il y a vingt minutes. Il jette un coup d'œil à l'actrice, puis à moi, et déclare : « On va à la soirée des Schrawtz vendredi. »

Je tripote ma serviette de table, puis j'allume une cigarette. « Je n'ai pas du tout envie d'aller à la soirée des Schrawtz vendredi », j'annonce doucement.

William me regarde, allume une cigarette, et dit, d'une voix également douce, en me regardant : « Qu'est-ce que tu veux faire à la place ? Dormir ?

Rester allongée près de la piscine ? Compter tes paires de chaussures ? »

Graham ricane, les yeux baissés.

Susan sirote son eau et regarde le surfeur de temps à autre.

Je finis par leur demander comment ça va en classe.

Graham ne répond pas.

Susan dit : « Au fait, Belinda Laurel a chopé un herpès. »

Je voudrais savoir si Belinda Laurel l'a attrapé de Julian, ou du patron des Seven Seas. J'ai aussi du mal à résister à mon envie de demander à Susan qui sont les Stray Cats.

Graham parle avec un faible filet de voix. « C'est Vince Parker qui lui a refilé ça, celui à qui ses vieux ont acheté une Porsche 928 alors qu'ils savent très bien qu'il se shoote avec des tranquillisants pour animaux.

— Ça, c'est vraiment... » Susan s'arrête pour chercher le mot juste.

Je ferme les yeux et pense au garçon qui a décroché le téléphone dans l'appartement de Martin.

« Répugnant... » Susan a trouvé le mot.

Graham approuve : « Ouais, totalement répugnant. »

William regarde l'actrice agrippée au jeune surfeur et dit avec une grimace : « Bon Dieu, mes pauvres enfants, vous êtes complètement malades. Il faut que j'aille téléphoner. »

Graham, l'air d'avoir la gueule de bois, regarde par la fenêtre en direction du grand magasin de disques de l'autre côté de la rue avec un air d'envie qui me surprend, et je ferme les yeux et je pense à la couleur de l'eau, à un citronnier, à une cicatrice.

Jeudi matin, ma mère téléphone. La bonne entre dans ma chambre vers onze heures et me réveille en disant : « Téléphone, *su madre ! Su madre, señora*[1] *!* » et je réplique : « *No estoy aqui*, Rosa. *No estoy aqui*[2] », et je me rendors. Je me réveille pour de bon à une heure et je fais le tour de la piscine en fumant une cigarette, un Perrier dans la main. Le téléphone sonne à la piscine et je me rends compte qu'il va falloir que je parle à ma mère pour m'en débarrasser. Rosa répond et le téléphone cesse de sonner, je reviens donc vers la maison.

« Oui, c'est moi. » Ma mère a l'air abandonnée et de mauvaise humeur. « Tu étais sortie ? J'ai appelé plus tôt.

— Oui, je soupire, je faisais les courses.

— Ah bon ? quel genre de courses ?

— Eh bien... pour les chiens, je hasarde, les courses pour les chiens. Comment ça va ?

— D'après toi ? »

Je soupire, m'allonge sur le lit. « Je n'en sais rien. Toujours pareil ? » Puis, après un instant : « Ne pleure pas, s'il te plaît. S'il te plaît, ne pleure pas.

— Rien ne sert à rien. Je vois toujours le Dr Scott tous les jours, je suis la chimio, et il n'arrête pas de me dire : "Ça vient, ça vient", et je lui demande : "Mais qu'est-ce qui vient, qu'est-ce qui vient ?" et puis... » Ma mère s'interrompt. Hors d'haleine.

« Il te donne toujours du Demerol ?

— Oui, dit-elle en soupirant. Je prends toujours du Demerol.

---

1. Votre mère, votre mère, madame !
2. Je ne suis pas là, Rosa. Je ne suis pas là.

— Eh bien, c'est bon, ça. »

Sa voix se brise à nouveau. « Mais je ne sais pas si je vais pouvoir continuer. Ma peau est... ma peau est toute...

— S'il te plaît.

— ... toute jaune. Elle est toute jaune. »

J'allume une cigarette.

« S'il te plaît. » Je ferme les yeux. « Tout va bien.

— Où sont Graham et Susan ?

— En classe, dis-je d'une voix qui se veut assurée.

— J'aurais voulu leur parler, dit-elle. Parfois, ils me manquent, tu sais. »

J'éteins ma cigarette. « Oui. Tu... tu leur manques à eux aussi, tu sais.

— Je sais. »

Pour dire quelque chose, j'ajoute : « Alors, qu'est-ce que tu fais de beau ?

— Je viens de rentrer de la clinique, je suis en train de ranger le grenier et j'ai retrouvé ces photos que nous avions faites à New York ensemble un Noël. Celles que j'avais perdues, de quand tu avais douze ans. Quand nous étions allés à l'hôtel Carlyle. »

Depuis deux semaines, ma mère n'arrête pas de ranger le grenier et de retrouver ces fameuses photos de New York. Je me souviens vaguement de ce Noël. Ces heures interminables à me choisir une robe la veille de Noël, puis à brosser mes cheveux, que je portais très longs. Un spectacle au Radio City Music Hall. Le Père Noël en sucre candi, tout maigre avec son air effrayé, que j'ai sucé pendant le spectacle. Et cette soirée où mon père s'est soûlé au Plaza, puis la dispute entre mes parents dans le taxi en rentrant au Carlyle ; plus tard, ce soir-là, je les ai entendus se disputer encore, puis du verre a été cassé dans la chambre voisine. Le dîner de Noël au restaurant français La Grenouille où mon père a voulu embrasser ma mère et où elle s'est détournée. Mais ce dont je me souviens le plus, avec une clarté qui me serre le cœur, c'est qu'aucune photo n'a été prise pendant ce voyage.

« Comment va William ? demande ma mère en voyant que je ne dis rien à propos des photos.

— Quoi ? dis-je, surprise, retrouvant mes esprits.

— William, ton mari. » Puis, avec un ton persifleur : « Mon gendre. William.

— Ça va, ça va, il va très bien. »

L'actrice à la table voisine hier soir chez Spago a embrassé le surfeur sur la bouche tandis qu'il extrayait du caviar de sa pizza et plus tard, en se levant, elle m'a fait un sourire. Ma mère, la peau jaunie, le corps mince et fragilisé par le manque de nourriture, se meurt dans une immense maison qui domine une baie à San Francisco. L'employé de piscine a disposé tout autour de la piscine un peu n'importe comment des pièges à rats sur lesquels il a étalé du beurre de cacahuètes.

« C'est bien. »

Plus aucun mot n'est échangé pendant presque deux longues minutes. Je compte les secondes, j'entends le tic-tac d'une pendule, et la bonne qui chantonne en nettoyant les vitres de la chambre de Susan en bas, et j'allume une nouvelle cigarette en espérant que ma mère va raccrocher très vite. Enfin, elle toussote et dit :

« Mes cheveux commencent à tomber. »

Je suis obligée de raccrocher.

Le Dr Nova, le psychiatre que je consulte, est jeune et bronzé et conduit une Peugeot ; il porte des costumes de chez Armani, il a une maison à Malibu et se plaint souvent de la qualité du service chez Trumps. Son cabinet est situé au-delà de Wilshire Boulevard dans un vaste complexe de bâtiments blancs en face du grand magasin Neiman Marcus ; c'est dans le parking de ce magasin que je me gare quand je vais chez lui ; souvent je traîne chez Neiman Marcus où je finis par m'acheter quelque chose avant de traverser. Aujourd'hui, dans son bureau au dixième étage de l'immeuble, le Dr Nova m'explique qu'à une soirée au Colony quelqu'un a essayé de se noyer. Je lui demande si c'était l'un de ses patients. Il dit que c'était la femme d'une star du rock dont le dernier titre est numéro 2 dans les charts depuis trois semaines. Il commence à me parler des autres invités de cette soirée, mais je l'interromps.

« Je voudrais une nouvelle ordonnance pour du Librium. »

Il allume une mince cigarette italienne et dit : « Pourquoi ?

— Ne me le demandez pas, je réplique en bâillant, faites-moi l'ordonnance. »

Il expire sa fumée et insiste : « Et pourquoi je ne dois pas vous poser la question ? »

Je regarde par la fenêtre et poursuis : « Parce que je vous l'ai demandé. Parce que je vous paie cent trente-cinq dollars l'heure. »

Il tire une bouffée, regarde par la fenêtre et dit d'une voix fatiguée : « À quoi pensez-vous ? »

Je regarde toujours dehors, comme stupéfiée à la vue des palmiers bercés par le vent chaud, se découpant sur un ciel couleur orange, et plus bas, sur le trottoir, un panneau d'affichage pour la protection de la Forêt.

Le Dr Nova se racle la gorge.

Un peu irritée, je dis : « Faites-moi donc l'ordonnance et... » Je soupire. « D'accord ?

— Je cherche seulement à déterminer votre intérêt. »

Je souris avec reconnaissance, incrédule. Il observe mon sourire d'un air étrange, incertain, sans en comprendre la raison.

Je remarque la petite Porsche au modèle ancien de Graham sur Wilshire Boulevard et je la suis, étonnée de voir mon fils conduire avec autant de soin, sans oublier de mettre ses clignotants quand il change de file ni de freiner à l'orange pour s'arrêter tranquillement au feu rouge. Il tourne aussi avec prudence. Je pensais qu'il était en route vers la maison, mais il dépasse Robertson Avenue, et je décide de le suivre.

Il descend Wilshire, tourne à droite dans une rue secondaire après avoir franchi Santa Monica Boulevard. Je m'arrête dans une station Mobil, et l'observe se ranger dans la contre-allée d'un grand immeuble blanc. Il gare la Porsche derrière une Ferrari rouge et sort en regardant autour de lui. Je mets mes lunettes de soleil et remonte ma vitre. Il frappe à la porte de l'un des appartements qui font face à la rue et le garçon qui est venu à la maison plus tôt cette même semaine, dans la cuisine, lui ouvre ; Graham entre et la porte se referme. Il ressort de l'immeuble vingt minutes plus tard accompagné du garçon et ils se séparent avec une poignée de main. Graham remonte en trébuchant dans sa voiture, laisse tomber ses clés. Il se penche pour les ramasser et n'y arrive qu'au troisième essai. Il se met au volant, ferme la portière, et regarde ses genoux. Il met ensuite le doigt à la bouche et le goûte. Satisfait, il regarde de nouveau ses genoux, dépose quelque chose dans la boîte à gants, fait sa marche arrière et repart dans Wilshire.

On tape soudain à la vitre de ma voiture et je lève les yeux, surprise. Un jeune employé de la station-service, très beau garçon, me demande de bouger ma voiture, je lui obéis et, ce faisant, une image dont la vérité me paraît suspecte m'emplit les yeux : Graham à son sixième anniversaire, avec un short gris, une chemisette très chère, soufflant toutes les bougies d'un gâteau du meilleur pâtissier de L.A. tandis que William sort un tricycle de grand luxe du coffre d'une Cadillac gris métallisé et qu'un photographe immortalise le premier tour de Graham sur son tricycle autour de la pelouse et jusque... dans la piscine. En descendant Wilshire, je perds le fil de cette image, et, une fois à la maison, je constate que la voiture de Graham n'y est pas.

Je suis allongée sur le lit dans l'appartement de Martin à Westwood. Il regarde MTV, il chante en play-back sur un tube de Prince, il a ses lunettes de soleil, il est tout nu et il fait semblant de jouer de la guitare. La climatisation est branchée et j'entends presque son ronronnement en tentant de me concentrer dessus plutôt que sur Martin qui se met à danser devant le lit, une cigarette non allumée à la bouche. Je me tourne sur le côté. Il coupe le son de la télé et met un vieux disque des Beach Boys. Il allume sa cigarette. Je tire les couvertures sur moi. Il saute sur le lit, s'allonge près de moi, lève ses jambes. Je le sens tendre les jambes lentement et les laisser redescendre encore plus lentement. Il s'interrompt et me regarde. Il glisse la main sous le drap et sourit.

« Tes jambes sont vraiment douces.

— J'ai fait une épilation à la cire.

— Quelle horreur !

— J'ai été obligée d'avaler une petite bouteille d'Absolut pour supporter la douleur. »

Il bondit soudain, me chevauche, en grognant avec une belle imitation de lion ou de tigre — ou peut-être d'un gros chat. Les Beach Boys chantent « *Wouldn't It Be Nice* ? ». Je tire une bouffée de sa cigarette et regarde Martin qui est très bronzé, fort et jeune, et a des yeux bleus au regard si vague et si vide qu'il est impossible de ne pas y sombrer. À la télé, l'image en noir et blanc d'un morceau de pop-corn sous lequel on voit écrit « *Very Important* ».

« Tu es allé à la plage hier je lui demande.

— Non, dit-il avec un sourire. Pourquoi ? Tu as l'impression de m'y avoir vu ?

— Non. Je me demandai.

— Je suis le plus bronzé de toute ma famille. »

Il a une demi-érection, et il prend ma main, et la pose sur sa verge, en me lançant des clins d'œil sarcastiques. Je retire ma main, et caresse sa poitrine et son ventre, puis je touche ses lèvres et j'obtiens mon effet.

« Je me demande ce que diraient tes parents s'ils savaient qu'une de leurs amies couche avec leur fils, je lui murmure.

— Tu n'es pas amie avec mes parents, dit Martin, souriant de moins en moins.

— Non, je joue seulement au tennis avec ta mère deux fois par semaine.

— Je me demande qui peut bien gagner ces matches », dit-il. Ses pupilles se dilatent. « Je n'ai pas envie de parler de ma mère. » Il essaie de m'embrasser. Je le repousse et il reste allongé en se caressant et en chantonnant les paroles d'un autre air des Beach Boys. Je l'interromps.

« Tu sais que j'ai un coiffeur appelé Lance et qu'il est homosexuel ? Je crois que tu dirais un homosexuel total. Il se maquille, porte des bijoux, et parle sans arrêt de ses jeunes conquêtes ; il est très efféminé. Je suis allée chez lui parce que je dois aller à la soirée des Schrawtz ; je rentre dans le salon de coiffure et je dis à Lillian, la fille qui prend les rendez-vous, que j'en ai un avec Lance, et elle me répond que Lance a dû prendre une semaine de congé, et je suis très déçue, et je dis : "On aurait pu me prévenir", et j'ajoute : "Où est-il donc ? en croisière ?" Alors elle me dit : "Non, il n'est pas en croisière, son fils est mort dans un accident de voiture hier soir près de Las Vegas." J'ai pris un autre rendez-vous, et je suis partie. » Je regarde Martin. « Remarquable, tu ne trouves pas ? »

Martin regarde le plafond, puis moi, et il dit : « Ouais, totalement remarquable. » Il quitte le lit.

« Tu vas où ? »

Il enfile son slip. « J'ai un cours à quatre heures.

— Un cours auquel tu vas vraiment ? »

Martin remonte la fermeture Éclair de son vieux jean, enfile un chandail Ralph Lauren, ses Top Siders, et, tandis que je suis assise sur le rebord du lit en train de me brosser les cheveux, il s'installe près de moi et, avec un grand sourire de gamin, il me demande : « Bébé, pourrais-je s'il te plaît t'emprunter soixante dollars ? Il faut que je paie les billets de Billy Idol à ce type et j'ai oublié de tirer de l'argent, et tout ça m'emmerde... » Sa voix se perd.

« OK ! »

J'ouvre mon porte-monnaie et je tends à Martin quatre billets de vingt dollars, et il m'embrasse dans le cou et dit sur un ton très poli : « Merci, bébé, je te les rendrai.

— Mais oui ! Mais ne m'appelle plus bébé.

— Tu n'auras qu'à claquer la porte », dit-il en quittant l'appartement.

La Jaguar freine sur Wilshire. Je conduis avec le toit ouvert et la radio à fond. Soudain la voiture fait un écart vers la droite. J'accélère un peu, la voiture bondit encore et part à droite. Je la gare un peu n'importe comment contre le trottoir près du croisement entre Wilshire et La Cienega, et, après plusieurs minutes de tentatives pour faire redémarrer le moteur, je retire les clés du contact, je reste assise et j'écoute le bruit du trafic à travers le toit ouvrant. Enfin je sors de la voiture et je vais jusqu'à la cabine téléphonique de la station Mobil au coin de La Cienega et j'appelle Martin. Une autre voix, celle d'une femme cette fois, me dit que Martin est à la plage ; j'appelle le studio où une assistante m'indique que William se trouve au Polo en réunion avec le metteur en scène de son prochain film, je connais le numéro du Polo mais je n'appelle pas. J'essaie la maison ; Graham et Susan n'y sont pas et la bonne ne reconnaît même pas ma voix quand je lui demande où ils sont ; je raccroche avant que Rosa puisse ajouter un mot. Je reste bien une vingtaine de minutes dans la cabine et je pense à Martin en train de me pousser par-dessus le balcon de son appartement de Westwood. Je quitte enfin la cabine et je prie un type de la station d'appeler le service dépannage de l'automobile club ; ils arrivent et remorquent la Jaguar au garage Jaguar de Santa Monica ; là j'ai une discussion très animée avec un chat persan appelé Normandy. On me reconduit chez moi, et je m'allonge sur le lit pour essayer de dormir. William arrive brusquement, me réveille et, quand je lui raconte ce qui est arrivé, il dit seulement : « Tout à fait toi », puis il ajoute que nous devons partir à la soirée et que tout va aller de travers si je ne commence pas à me préparer.

Je me brosse les cheveux. William se rase devant le lavabo. Il ne porte qu'un pantalon noir et sa fermeture Éclair n'est même pas remontée ; moi je porte un soutien-gorge et une jupe ; je passe un corsage et recommence à me brosser les cheveux. William se lave le visage et le sèche avec une serviette. « J'ai eu un coup de fil très intéressant au studio hier. Très intéressant. De ta mère, ce qui est plutôt surprenant. D'abord parce que ta mère ne m'a jamais appelé au studio et ensuite parce qu'on ne peut pas dire que ta mère me porte vraiment dans son cœur.

— Ce n'est pas vrai, dis-je et j'éclate de rire.

— Tu sais ce qu'elle m'a raconté ? »

Je ne bronche pas.

« Allez, devine, insiste-t-il en souriant. Tu ne devines pas ? »

Je ne bronche toujours pas.

« Que tu lui avais raccroché au nez. » Il s'interrompt. « C'est vraiment vrai ?

— Et même si c'était vrai ? » Je pose la brosse, remets du rouge à lèvres, mais j'ai les mains tremblantes, aussi je reprends la brosse à cheveux.

Enfin je regarde William qui me regarde dans la glace et je dis seulement : « Oui. »

Il va choisir une chemise dans le dressing. « J'ai cru que ce n'était pas possible. J'ai pensé que le Demerol lui faisait un effet terrible », dit-il d'une voix brève. Je commence à me brosser les cheveux avec des petits gestes saccadés.

« Pourquoi tu as fait ça ?

— Je n'en sais rien. Je ne crois pas que j'aie envie d'en parler.

— Tu as raccroché au nez de ta garce de mère ? » Il rit.

« Oui. » Je repose la brosse. « Mais qu'est-ce que ça peut bien te faire ? » dis-je, soudain inquiète à l'idée que la Jaguar est peut-être au garage pour une semaine entière. William ne bouge pas.

« Mais tu aimes ta mère, non ? » demande-t-il en remontant sa fermeture Éclair. Il boucle sa ceinture de chez Gucci. « Je veux dire, bon Dieu, elle est en train de mourir d'un cancer !

— Je suis fatiguée. S'il te plaît, William. Arrête.

— Et moi ? » demande-t-il.

Il va chercher une veste dans le dressing.

« Non, je ne crois pas. » Les mots sortent de ma bouche avec une grande clarté. Je hausse les épaules. « Je ne t'aime plus.

— Et tes enfants à la con ? » Il soupire.

« Nos enfants à la con.

— Nos enfants à la con. D'accord. Ne sois pas si conventionnelle.

— Je ne crois pas non plus... Je n'en suis pas... sûre.

— Et pourquoi ? dit-il en s'asseyant sur le lit pour mettre ses chaussures.

— Parce que... » Je lui jette un coup d'œil. « Parce que je... je ne les connais pas.

— Allons, allons, tu ne peux pas t'en tirer comme ça, dit-il d'un ton moqueur. Ce n'est pas toi qui disais qu'il est plus facile d'aimer des inconnus.

— Non, c'est toi, et tu parlais de la baise.

— Puisque tu n'es attachée qu'à ceux avec qui

tu baises, je crois qu'on sera d'accord là-dessus. »
Il fait son nœud de cravate.

« Je ne te suis pas, je lance, surprise par la dernière phrase de William et me demandant si je n'ai
pas manqué quelques mots.

— Oh, bon Dieu, il me faut une piqûre, dit-il, tu
peux m'attraper la seringue ? L'insuline est là. » Il
la montre, enlève sa veste, déboutonne sa chemise.

En remplissant la seringue d'insuline, je dois lutter contre l'envie de la remplir d'air, de la plonger
dans une veine et d'observer son visage se contrac-
ter, puis de le voir tomber. Il dénude le haut de son
bras. J'enfonce l'aiguille et je dis : « Espèce d'en-
culé ! » Il regarde le sol et lâche : « Je n'ai plus
envie de parler. » Nous finissons de nous habiller en
silence et partons.

En descendant Sunset Boulevard avec William au
volant, un verre de vodka coincé entre ses genoux,
le toit ouvert laissant un vent chaud pénétrer dans
la voiture, et le soleil orange se couchant au loin, je
touche sa main sur le volant, il la déplace pour saisir
son verre et le porter à ses lèvres, et au moment de
détourner mon regard, au-dessus du verre, je vois
l'appartement de Martin à Westwood.

Nous roulons à travers les collines, et trouvons la
maison. William donne les clés au voiturier et, alors
que nous avançons vers l'entrée en suivant une allée
bordée d'une rangée double de photographes placés
derrière une corde, William me dit de sourire.

« Souris, ou au moins essaie. Je ne veux pas
revoir une photo de toi comme celle du *Hollywood
Reporter* où tu regardais dans le vide avec un air
idiot.

— Je suis fatiguée, William. Je suis fatiguée de toi. Je suis fatiguée de ces soirées. Je suis fatiguée.

— Le ton de ta voix aurait pu me tromper, dit-il en me prenant le bras avec rudesse. Tu souris, hein ! Jusqu'en haut des marches. Après, je me fous complètement de ce que tu feras.

— Tu es... tu es un salaud.

— Tu ne vaux pas mieux », rétorque-t-il en me tirant par le bras.

William discute avec un acteur dont le prochain film sort dans quelques jours ; nous sommes debout près de la piscine, et il y a un jeune homme très bronzé avec l'acteur, qui ne suit pas la conversation. Il regarde la piscine, les mains dans les poches. Un vent chaud traverse le canyon, mais les cheveux blonds du garçon ne bougent absolument pas. De ma place, j'aperçois les panneaux d'affichage, des petits rectangles clairs, sur Sunset Boulevard, fleuve continu de néon. Je sirote mon verre et regarde le garçon toujours perdu dans la contemplation de l'eau illuminée. Un orchestre joue, et la lumière renvoyée par la surface de la piscine, les petites volutes de vapeur qui s'en échappent, le jeune garçon blond, les jolies tentes jaune et blanc étirées sur l'immense pelouse, les palmiers, découpés sur le clair de lune, les vents chauds qui s'attiédissent, tout cela agit sur moi comme un anesthésique. William et l'acteur parlent de la femme de la star du rock qui a essayé de se noyer à Malibu, et le garçon blond que je regarde fixement détourne enfin son regard de la piscine et s'intéresse à la conversation.

4

Dans les îles

J'observe mon fils à travers une baie vitrée du cinquième étage de l'immeuble de bureaux dont je suis le propriétaire. Il fait la queue avec quelqu'un pour aller voir *Tendres passions* au cinéma de l'autre côté de la place. Il regarde sans arrêt en direction de la fenêtre derrière laquelle je me trouve. Je suis au téléphone avec Lynch qui me raconte les derniers détails d'une affaire sur laquelle nous avons travaillé la semaine dernière à New York, mais je ne l'écoute pas vraiment. Je regarde fixement à travers la vitre, soulagé que Tim ne puisse me voir, que nous ne puissions pas nous faire un signe. Lui et son copain font simplement la queue. Son copain — Sam ou Graham ou quelque chose comme ça — lui ressemble beaucoup : grand, blond, bronzé, vêtu comme lui d'un vieux jean et d'un T-shirt portant les initiales de l'USC. Tim lève de nouveau les yeux vers la fenêtre. Je plaque ma main sur la vitre étonnamment fraîche et l'y laisse. Lynch dit que puisque c'est Thanksgiving, je pourrais peut-être rejoindre O'Brien, Davies et lui à Las Cruces pour une partie de pêche ce week-end. Je réponds que j'ai prévu d'emmener Tim à Hawaii pour quatre jours. Graham murmure quelque chose à l'oreille de Tim et le mouvement de Graham et son sourire me semblent presque lascifs ; l'idée qu'ils couchent ensemble m'effleure et Lynch dit qu'il me rappellera à mon retour d'Hawaii. Je raccroche, retire ma main de la vitre. Tim allume une cigarette et regarde dans ma direction. Je ne bouge pas, le regarde, regrettant qu'il fume. Kay m'appelle de son bureau : « Les ? Il y a Fitzhugh en ligne pour vous sur la 3 », je lui dis de répondre que je ne suis pas là, et je reste à la vitre jusqu'à ce que la queue disparaisse et que Tim soit happé à l'intérieur du cinéma. En quittant le bureau, à seize heures, je descends dans le garage souterrain, je m'appuie sur une Ferrari gris métallisé, dénoue ma cravate, la main tremblante à cause de l'effort que je fais pour ouvrir la portière. Et je quitte Century City.

J'ai refait plusieurs fois ma valise, ne sachant trop quoi emporter bien que je sois allé souvent au Mauna Kea ; mais ce soir j'ai un problème. Je devrais manger quelque chose — il est neuf heures passées — et je n'ai pas faim à cause du Valium que j'ai pris tout à l'heure. Dans la cuisine je déniche une boîte de Triscuits et j'en mange trois sans entrain. Le téléphone sonne alors que je mets en ordre la valise et replie deux chemises.

« Tim n'a pas envie de venir, me dit Elena.

— Comment ça, il n'a pas envie ?

— Non, Les, il n'en a pas envie.

— Passe-le-moi.

— Il n'est pas là.

— Passe-le-moi, Elena.

— Il n'est pas là.

— Écoute, j'ai tout réservé, merde ! et tu sais

bien à quel point c'est difficile de trouver de la place au Mauna Kea pour Thanksgiving.

— Oui, je sais.

— Elena, il viendra, que cela lui plaise ou non.

— Oh, Les, je t'en prie.

— Pourquoi il ne veut pas venir ? »

Elena réfléchit. « Parce qu'il pense qu'il ne va pas s'amuser.

— Non, c'est parce qu'il ne m'aime pas.

— Oh, écoute, arrête de t'apitoyer sans arrêt sur toi-même, dit-elle d'une voix lasse. Ce n'est pas ça.

— Alors quel est le problème ?

— C'est que...

— Quoi, Elena ? C'est quoi ?

— Il est mal à l'aise à l'idée que vous allez partir tous les deux, seuls, et que c'est la première fois...

— Je veux emmener mon fils à Hawaii quelques jours sans ses sœurs et sans sa mère... Bon Dieu, Elena, nous ne nous voyons jamais.

— Je comprends ça, Les, mais il a dix-neuf ans. S'il n'a pas envie de venir, je ne peux tout de même pas le forcer.

— Il ne veut pas venir parce qu'il ne m'aime pas, dis-je en l'interrompant. Tu le sais, et je le sais. Et je sais parfaitement qu'il t'a demandé de m'appeler pour me le dire.

— Si tu le penses vraiment, alors pourquoi est-ce que tu as envie de l'emmener ? Tu crois peut-être que trois jours vont y changer quelque chose ? »

Je replie une autre chemise et la range dans la valise. Je m'assieds brutalement sur le lit.

« J'ai horreur d'être prise en sandwich comme ça, dit-elle enfin.

— Bordel, il ne devrait pas te mettre dans cette situation !

— Ne crie pas !

— Je m'en fous. Je le prends demain à dix heures et demie, que ce petit con ait envie de venir ou non.

— Les, ne crie pas.

— Ça me fait du bien.

— Je ne..., elle bégaie. Je me retire de votre histoire. Je déteste être coincée entre vous deux.

— Elena, je déclare d'une voix menaçante, tu vas lui dire qu'il vient. Je sais qu'il est là avec toi. Tu le lui dis.

— Et qu'est-ce que tu feras s'il décide de refuser ? Tu vas le tuer ? »

Un bruit de fond retentit ; quelque part chez elle, dans sa chambre, une porte a été claquée. J'entends Elena soupirer fortement. « Je refuse d'être mêlée à tout ça. Veux-tu parler aux filles ?

— Non », dis-je dans un murmure.

Je raccroche puis me dirige vers le balcon de mon duplex avec la boîte de Triscuits et me tiens debout à côté d'un oranger. Les voitures forment deux longues lignes, une rouge d'un côté, une blanche de l'autre, sur l'autoroute et, après que ma colère est retombée, il me reste un sentiment d'angoisse un peu artificiel. J'appelle Lynch pour lui dire que je vais venir pêcher avec O'Brien et Davies à Las Cruces, mais c'est sa petite amie qui décroche, et je raccroche aussitôt.

La limousine vient me chercher à mon bureau de Century City à dix heures. Le chauffeur, Chuck, m'ouvre la portière après avoir placé mes deux valises dans le coffre. En route vers Encino pour prendre Tim, je me verse une vodka Stoli sans eau et avec de la glace et je suis embarrassé de voir à quelle vitesse je la descends. Je m'en verse un deuxième demi-verre avec beaucoup de glace, mets une cassette de Sondheim dans le lecteur, me laisse aller en arrière sur les coussins et je regarde à travers les vitres fumées ce quartier de Beverly Glen par lequel on passe pour aller à la maison d'Encino que Tim habite lorsqu'il n'est pas à l'université.

La voiture s'arrête devant la grande maison de pierre et je remarque la Porsche noire de Tim, celle que je lui ai offerte à sa sortie de Buckley, immobile près du garage. Tim ouvre la porte de devant, suivi par Elena, qui fait un geste incertain en direction des vitres teintées de la limousine, puis repart rapidement vers la maison et referme la porte.

Tim, vêtu d'une veste sport à carreaux, d'un jean et d'une chemisette Polo blanche, a deux bagages à la main ; il se dirige vers Chuck, qui les empoigne et lui ouvre la portière. Tim sourit nerveusement en s'asseyant.

« Bonjour, dit-il.

— Salut, Tim, comment ça va ? » dis-je en lui donnant une tape sur le genou.

Il sursaute, sans cesser de sourire, l'air fatigué mais s'efforçant de ne pas le montrer, ce qui accentue encore sa fatigue apparente.

« Euh... bien, ça va bien. » Il s'interrompt puis dit gauchement : « Et toi... comment ça va ?

— Oh, ça va. » Je sens une odeur étrange, comme une odeur d'herbe, s'exhaler de sa veste et j'imagine Tim sur son lit ce matin fumant une pipe de marijuana pour rassembler son courage. J'espère qu'il n'en a pas emporté avec lui.

« C'est... super », dit-il en regardant l'intérieur de la limousine.

Je ne sais pas quoi dire, aussi je lui demande s'il veut boire quelque chose.

« Non, ça va comme ça, répond-il.

— Mais si, prends donc un verre, j'insiste en me versant une autre vodka glace.

— Non, dit-il avec moins d'assurance.

— Je t'en verse un de toute façon. »

Sans lui demander son avis, je lui verse une Stoli avec de la glace. Il me remercie, et saisit le verre qu'il sirote avec précaution comme s'il pouvait être empoisonné.

J'allume le lecteur, me rassieds et pose les pieds sur le siège devant moi.

« Alors qu'est-ce que tu deviens ?

— Pas grand-chose.

— Mais encore ?

— Quand est-ce que l'avion décolle ?

— À douze heures pile, dis-je sans broncher.

— Ah !

— Comment marche la Porsche ?

— Ça va, elle marche bien, répond-il en haussant les épaules.

— Tant mieux.

— Et... et la Ferrari ?

— Ça va, mais tu sais, Tim, c'est un peu du gâchis de rouler avec ça en ville, je déclare en agitant les glaçons dans mon verre. Je ne peux pas aller très vite.

— Ouais », dit-il, l'air pensif.

La limousine s'engage sur l'autoroute et commence à accélérer. La cassette de Sondheim est finie.

« Tu veux écouter quelque chose de particulier ? je lui propose.

— Qu'est-ce que tu veux dire ? dit-il avec nervosité.

« — Je te demande quelle musique tu veux que je mette ?

— Ah ! » Il réfléchit, tout rouge. « Euh, non, ce que tu veux... »

Je sais qu'il a envie de musique, alors j'allume la radio et déniche une station de hardrock.

« Ça te va ? » dis-je en souriant. En même temps j'augmente le volume.

« Ce que tu veux, murmure-t-il en regardant par la vitre. Vraiment. »

J'ai horreur de cette sorte de musique et il me faut un gros effort et une troisième vodka pour ne pas remettre Sondheim. La vodka n'a pas l'effet escompté.

« Qui est-ce ? dis-je en montrant la radio.

— Euh... je crois que c'est Devo, dit Tim.

— Qui ça ? » J'ai pourtant entendu.

« Un groupe appelé Devo.

— Devo ?

— Ben oui.

— Devo.

— C'est ça, dit-il en me regardant comme si j'étais un véritable idiot.

— OK ! » Je me laisse aller en arrière. « Je voulais être sûr de bien comprendre. »

Fin de la chanson de Devo. Une autre chanson, encore plus exaspérante, commence.

« Et ça ? »

Il me regarde, chausse ses lunettes de soleil et prononce : « Les Missing Persons.

— Les Missing Persons ?

— Ouais. » Il rit.

J'approuve d'un signe de tête et abaisse la vitre teintée.

Tim sirote son verre et le repose sur ses genoux.

« Tu es venu à Century City hier ?

— Non, répond-il sans émotion apparente.

— Ah ! » dis-je en terminant mon verre.

La chanson est finie. L'animateur intervient, fait une plaisanterie douteuse, parle de billets gratuits pour un concert de Nouvel An à Anaheim.

« Est-ce que tu as pris ta raquette de tennis ? je demande alors que je sais qu'il l'a puisque j'ai vu Chuck la mettre dans le coffre.

— Oui, je l'ai », dit Tim qui porte le verre à ses lèvres en faisant semblant de boire.

Une fois en première, moi du côté de l'allée, Tim côté hublot, je suis un peu moins tendu. Je prends un peu de champagne et Tim un jus d'orange. Il met son Walkman et lit *GQ*[1], le journal qu'il a acheté à l'aéroport, et moi je commence à lire l'*Hawaii* de James Michener que j'emporte au Mauna Kea à chaque visite ; je règle mon casque sur le canal « mélanges hawaiiens » et j'écoute Don Ho chanter « *Tiny Bubbles* » plusieurs fois.

Après le déjeuner, je réclame à l'hôtesse un jeu de cartes et je fais quatre parties de gin-rummy avec Tim ; je les gagne toutes. Il regarde par le hublot jusqu'au commencement du film. Il le regarde pendant que je lis *Hawaii* en buvant un rhum-Coca. Après le film, Tim parcourt son *GQ* sans grande attention, et contemple la vaste étendue d'eau sous les ailes de l'avion. Je me lève et monte d'une démarche un peu soûle jusqu'au salon où je fais quelques pas avant de prendre un Valium. Je redescends au moment où l'avion plonge vers Hilo ; à l'atterrissage Tim serre son journal si nerveusement qu'il est complètement chiffonné quand l'appareil s'arrête à sa passerelle.

---

1. *Gentlemen's Quarterly*, magazine masculin.

Quand nous sortons de l'avion, une jolie Hawaiienne nous met des colliers de fleurs pourpres autour du cou, nous rencontrons notre chauffeur à la porte ; il prend les bagages et nous nous asseyons dans la limousine sans parler, osant à peine nous regarder. Pendant que nous roulons dans cet après-midi d'une moiteur tropicale le long de la route côtière, Tim tripote la radio et n'obtient qu'une station locale qui passe des chansons des années soixante. Je le regarde quand Mary Wells entame « *My Guy* », et il ne bouge pas, les fleurs pourpres qui commencent à foncer tombant sur son cou. Il a le regard triste perdu dans la contemplation du paysage verdoyant, son *GQ* toujours serré dans sa main, et je me demande si ce voyage est une bonne idée. Il me jette un coup d'œil et je détourne les yeux ; un sentiment imaginaire de paix imposée nous envahit doucement en réponse à mon interrogation.

Tim et moi sommes assis dans la grande salle à manger du Mauna Kea. Une des grandes baies vitrées est ouverte et j'entends les brisants au loin. Une légère brise pénètre la salle éclairée chichement, faisant vaciller la flamme de la bougie sur notre table. Les mobiles fixés au plafond s'agitent doucement. Le jeune pianiste hawaiien, seul sur une petite estrade à demi éclairée près de la piste de danse, joue « *Mack the Knife* », et deux couples vieillissants s'essaient à danser. Tim tente d'allumer une cigarette sans se faire remarquer. Le rire d'une femme se fait entendre dans la grande salle, sans que je puisse deviner d'où il vient.

« Oh, Tim, s'il te plaît, arrête de fumer ! dis-je en

sirotant mon second Mai Tai. On est à Hawaii, bon sang ! »

Sans un seul mot, et sans un signe de protestation, sans même me regarder, il écrase sa cigarette dans le cendrier et croise les bras.

« Écoute », je reprends... Mais les mots ne viennent pas.

Tim me regarde. « Oui...

— À ton avis... » Mon esprit bat la campagne, s'arrête enfin sur quelque chose. « À ton avis, qui va gagner le Super Bowl cette année ?

— Je ne sais pas trop. » Il se ronge les ongles.

« Les Raiders, peut-être ?

— Les Raiders ont leur chance. » Il hausse les épaules, regarde autour de lui.

« Et la fac, ça va ? je lui demande.

— Super. Vraiment super, dit-il, perdant lentement patience.

— Et Graham ? Comment va-t-il ?

— Graham ? » Il me regarde fixement.

« Oui, Graham.

— Mais qui est Graham ?

— Tu n'as pas un ami qui s'appelle Graham ?

— Non.

— Oh, je croyais. » J'avale une grande rasade de Mai Tai.

« Graham, répète-t-il en me regardant dans les yeux. Je ne connais personne qui s'appelle comme ça. »

C'est mon tour de hausser les épaules et de détourner les yeux. Quatre pédés sont assis à la table en face de nous, dont l'un est un acteur de télé très connu, ils sont soûls et deux d'entre eux n'arrêtent pas de contempler Tim avec de grands yeux, mais il ne s'en rend pas compte. Il recroise les jambes, se ronge un autre ongle.

« Comment va ta mère ?

— En pleine forme. » Son pied commence à s'agiter de haut en bas avec violence.

« Et Darcy et Melanie ? » je demande, me raccrochant à n'importe quoi. J'ai presque fini mon Mai Tai.

« Elles deviennent un peu assommantes, dit-il d'une voix monocorde en regardant derrière moi. On dirait qu'elles passent tout leur temps à descendre en bagnole chez Häagen-Dazs pour faire la cour à un abruti qui travaille là. »

Je ris un instant, ne sachant pas si c'est la réaction qu'il attend de moi. J'appelle le garçon et commande un troisième Mai Tai. Il l'apporte très rapidement et aussitôt notre silence est rompu.

« Tu te rappelles quand nous venions ici en été, dis-je en essayant de rentrer dans ses bonnes grâces.

— Oui, répond-il tout simplement.

— Je me demande quand nous sommes venus tous ensemble ici pour la dernière fois ?

— Je n'en sais rien, dit-il sans réfléchir.

— Je crois que c'était il y a deux ans. En août.

— En juillet.

— Exact, tu as raison. C'était le week-end du 4 [1]. » Je ris. « Tu te souviens quand nous avons été faire de la plongée et que ta mère a balancé la caméra par-dessus bord ? dis-je en riant toujours.

— Je me souviens seulement des disputes », soupire-t-il sans passion en me regardant. Je le regarde aussi longtemps que je puis le supporter et je détourne les yeux.

Un des pédés dit quelque chose à l'oreille d'un autre en observant Tim et ils rigolent.

« Allons au bar, je propose, en signant l'addition

_____

1. Jour de la fête nationale.

que le garçon a dû placer là en m'apportant mon
dernier Mai Tai.

— Comme tu voudras », dit-il en se levant prestement.

Je suis à présent solidement bourré, et je traverse
la cour de l'hôtel en titubant, Tim à mon côté. Dans
le bar, une vieille Hawaiienne vêtue d'une robe à
fleurs, le cou entouré de colliers de fleurs, joue sur
son ukulélé « *Hawaiian Wedding Song* ». Quelques
couples sont installés et deux jeunes femmes bien
habillées, la trentaine environ, sont seules au bar. Je
fais signe à Tim de me suivre. Nous choisissons
deux tabourets proches des deux femmes et je me
penche vers Tim.

« Alors, qu'est-ce que tu en dis ? je lui demande
dans un murmure en lui donnant une petite
bourrade.

— Qu'est-ce que je dis de quoi ?

— À ton avis ?

— Je ne vois pas, rétorque-t-il avec irritation.

— Là, à côté, ces deux femmes. »

Il leur jette un coup d'œil, baisse les yeux.

« Et alors ? »

Je le regarde, l'air stupide.

« Mais tu ne sors jamais avec des filles ?
Enfin ! » Je parle toujours à voix basse.

« Quoi ?

— Chut ! Tu ne sors pas avec des filles ? Tu n'as
pas de rendez-vous ?

— Oh si, des filles de la fac, mais... » Il hausse
les épaules. « Mais qu'est-ce que tu me
demandes ? »

Le barman s'approche.

« Pour moi, ce sera un Mai Tai, dis-je en espérant

que ma prononciation n'est pas trop ralentie par l'alcool. Et pour toi, Tim ? dis-je en lui donnant une grande tape dans le dos.

— Pour moi quoi ? demande-t-il.

— Qu'est-ce que tu veux boire ?

— Je ne sais pas. Un Mai Tai peut-être. Ce que tu voudras », dit-il, l'air gêné.

L'une des femmes, la plus grande, nous fait un sourire. Elle a les cheveux auburn.

« On dirait que la chance est avec nous, dis-je. Oui, avec nous !

— Quelle chance ? Mais qu'est-ce que tu racontes ? dit-il.

— Regarde bien. » M'appuyant au bar, je me tourne vers les deux femmes.

« Qu'est-ce que vous buvez ? »

La plus grande des deux sourit et me montre un grand verre givré rempli d'un liquide rose. Elle répond : « Pahoehoe.

— Pahoehoe ? dis-je en souriant.

— Oui, confirme-t-elle, c'est délicieux.

— Mais je rêve, dit Tim dans mon dos.

— Barman... excusez-moi, euh... » Je regarde avec attention le vieil Hawaiien aux cheveux gris qui apporte nos Mai Tai jusqu'à ce que son prénom, inscrit au revers de sa veste, m'apparaisse. « Hiki, pourquoi n'apporteriez-vous pas à ces dames une autre tournée de... » Je la regarde encore, toujours en souriant.

« Pahoehoe, répète-t-elle avec un sourire encore plus grand.

— Pahoehoe, dis-je à Hiki.

— Bien, Monsieur, réplique Hiki en s'éloignant.

— Eh bien, vous deux, on dirait que vous avez été à la plage aujourd'hui et que vous avez pris du soleil ! D'où êtes-vous ? »

Celle qui répond sirote un peu de Pahoehoe.

« Je m'appelle Patty, elle c'est Darlene, et nous sommes de Chicago.

— De Chicago ? dis-je en m'approchant. C'est bien ça ?

— Oui, confirme Patty. Et vous deux ?

— De L.A., j'annonce, le bruit du mixer du barman couvrant ma voix.

— Los Angeles ? dit Darlene en nous regardant.

— Oui. Je m'appelle Les Price, et voici mon fils Tim. » Je montre Tim d'un geste comme s'il était en démonstration. Il baisse la tête. « Il est un peu... timide.

— Salut, Tim, lance Patty très amicalement.

— Dis bonjour, Tim. »

Il sourit poliment.

« Il est étudiant à l'USC », dis-je comme si cela expliquait sa timidité.

La vieille Hawaiienne à l'ukulélé commence à chanter « *It had to Be You* », et je m'aperçois que je bats le rythme.

« J'ai une nièce à L.A., dit Darlene, l'air soudain intéressée. Elle est à Pepperdine. Vous connaissez Pepperdine ? demande-t-elle à Tim.

— Oui. » Il hoche la tête, les yeux baissés vers son verre.

« Elle s'appelle Norma Perry. Ça ne vous dit rien ? Elle est en première année, dit-elle en sirotant son Pahoehoe. Pepperdine. »

Je regarde Tim qui hoche la tête, les yeux toujours baissés, l'air sévère. « Non, désolé... »

Nous l'observons tous les trois comme s'il était une sorte de créature exotique, stupéfaits de le voir à ce point incapable de s'exprimer. Il n'arrête pas de secouer la tête, et il me faut faire un grand effort pour détourner mon regard de lui.

« Et vous êtes ici pour combien de temps ? dis-je en avalant une grande gorgée de Mai Tai.

— Jusqu'à dimanche », répond Patty. Son poignet porte tellement de bracelets de jade que je m'émerveille qu'elle puisse parvenir à soulever son verre. « Et vous deux ?

— Samedi, Patty, je lui réponds.

— Formidable. Vous êtes seuls ?

— Oui, dis-je en jetant un coup d'œil amical en direction de Tim.

— Tu ne trouves pas ça sympa, Darlene ? » s'exclame Patty en regardant Tim.

Darlene acquiesce. « Le Père, le Fils... C'est sympa. » Elle termine avidement son Pahoehoe et attaque aussitôt le verre plein que Hiki vient de poser devant elle.

« Excusez-moi si ma question est indiscrète, dis-je en me penchant vers Patty, qui empeste le gardénia.

— Je suis sûre qu'elle ne l'est pas », dit Patty.

Darlene rigole.

« C'est pas vrai ! » marmotte Tim en prenant finalement un peu de Mai Tai. Je fais semblant de ne pas l'avoir entendu.

« Alors, Les ? Vous posez votre question ? dit Darlene.

— Avec qui êtes-vous venues ici ?

— Bon ! dit Tim en se levant de son tabouret.

— Nous sommes seules, répond Patty en regardant Darlene.

— Toutes seules, confirme Darlene.

— Est-ce que je peux avoir la clé de la chambre ? s'enquiert Tim, la main tendue.

— Où vas-tu ? dis-je un peu dessoûlé.

— Mais dans la chambre ! Où veux-tu que j'aille, Seigneur !

— Mais tu n'as même pas fini ton verre, je remarque en le lui montrant.

— Je n'en veux pas, dit-il d'une voix égale.

— Pourquoi ? je rétorque d'un ton sec.

— Je le boirai, s'il n'en veut pas, s'exclame Darlene en riant.

— Donne-moi la clé, dit Tim, exaspéré.

— Alors je t'accompagne, je déclare en me levant.

— Non, non, reste là et amuse-toi avec Patty et Marlene.

— Je m'appelle Darlene, pas Marlene, mon lapin, dit Darlene dans mon dos.

— Comme vous voudrez », murmure Tim, la main toujours tendue.

Je fouille dans ma poche et lui donne la clé.

« Pense à m'ouvrir quand je frapperai, lui dis-je.

— Merci, dit-il en reculant. Darlene, Patty, j'ai beaucoup... heu... À une autre fois. » Il quitte le bar, très raide.

« Mais qu'est-ce qu'il a ? questionne Patty, son sourire se figeant.

— Des problèmes à la fac », dis-je d'une voix pâteuse. Je prends mon verre, le porte à ma bouche, sans boire, et j'ajoute : « Et sa mère. »

Je réveille Tim de bonne heure et lui dis que nous allons faire un tennis avant le petit déjeuner. Il se lève sans grogner, et prend une douche interminable. Quand il a fini, je lui propose de venir me retrouver sur le court.

Une fois là-bas, quinze ou vingt minutes plus tard, je décide de commencer par un bon échauffement, de frapper quelques balles. Je sers très fort. Il rate la balle. Je recommence, encore plus fort. Il ne cherche même pas à la renvoyer, l'évite même. Je recommence. Il rate. Sans dire un mot. Nouveau service. Cette fois, il retourne, en grognant de fatigue. La balle, couleur jaune fluo, me revient comme un projectile. Il trébuche vers l'avant.

« Pas si fort, papa.

— Fort ? Tu trouves ça fort ?

— Eh bien, oui. »

Je sers encore.

Il ne dit rien.

Après avoir remporté les quatre sets, je me montre gentil.

« C'est le tennis, un coup on perd, un coup on gagne. »

Il dit : « Bien sûr. »

Curieusement ça se passe mieux sur la plage. L'océan nous calme, le sable nous réconforte. Nous nous montrons prévenants l'un envers l'autre. Nous sommes installés sur des chaises longues sous deux petits palmiers. Tim lit un roman de Stephen King en livre de poche, qu'il a acheté à la boutique de l'hôtel, et il écoute son Walkman. Je lis *Hawaii* par intermittence, regardant aussi le soleil, le sable chaud, reniflant les odeurs mêlées du rhum, de la crème solaire et du sel. Darlene passe tout près, fait un geste que je lui renvoie. Tim abaisse ses lunettes de soleil.

« Tu as été plutôt impoli avec elles hier soir », dis-je.

Il hausse les épaules, remonte ses lunettes de soleil sur son nez. Il ne m'a peut-être pas entendu, à cause du Walkman. Mais il a bien vu que je lui parlais. Impossible de savoir ce qu'il a en tête. En le regardant, on ressent une impression d'hésitation

73

permanente, d'absence de but, de projet, comme s'il n'existait pas vraiment. J'essaie de ne pas m'en inquiéter et regarde l'océan calme, l'air. Deux des pédés vus au restaurant la veille, vêtus de petits maillots de bain, passent près de nous et s'installent au bar de la plage. Tim me réclame d'un geste la crème solaire, que je lui tends. Il s'en étale sur les épaules, qu'il a larges et bronzées, se rassied et s'essuie les mains sur ses mollets, eux aussi bien musclés. J'ai mal aux yeux à force de lire ces petits caractères. Je cligne de l'œil et demande finalement à Tim d'aller nous chercher deux Mai Tai, ou bien deux rhums-Coca. Il n'entend pas. Je lui donne une tape sur le bras. Il sursaute et retire son Walkman qui tombe sur le sable.

« Merde ! » dit-il en le ramassant. Comme l'appareil n'a rien, il le remet sur ses oreilles.

« Quoi ? dit-il.

— Tu veux bien aller nous chercher à boire ? »

Il se lève en soupirant. « Qu'est-ce que tu veux ?

— Un rhum-Coca.

— OK ! » Il passe un sweat-shirt USC et marche en traînant vers le bar.

Je m'évente avec mon livre en le regardant s'éloigner. Arrivé au bar, il reste debout, n'essayant pas d'attirer l'attention du barman, mais attendant plutôt que celui-ci le voie. Un des deux pédés lui adresse la parole. Je me redresse. Il rit et répond. C'est alors que je remarque la fille.

Elle est jeune. L'âge de Tim peut-être. Bronzée, avec de longs cheveux blonds, elle marche lentement au bord de l'eau, sans paraître remarquer les vagues qui se brisent à ses pieds. Elle se dirige vers le bar et je vois mieux son visage, bronzé, l'air serein, avec de grands yeux qui ne cillent même pas sous le soleil ardent à cette heure. Elle se dirige langoureusement, sensuellement, vers Tim qui attend toujours sa commande en rêvassant. Elle lui parle. Il la regarde et sourit alors que le barman lui tend un verre. Il reste là, et bavarde brièvement avec elle. Elle lui demande quelque chose au moment où il s'éloigne vers moi. Il se retourne, fait oui de la tête et se met presque à courir maladroitement. Il s'arrête, se retourne, rit comme pour lui-même et arrive jusqu'à moi.

« J'ai rencontré une fille de San Diego », dit-il d'un air absent en ôtant son sweat-shirt.

Je souris et fais oui de la tête, reste allongé avec mon verre qui est rempli d'un liquide clair avec des bulles, et qui n'est pas du tout ce que j'avais demandé. Lorsque je ferme les yeux, je me raconte qu'au moment de les rouvrir Tim sera debout près de moi et me demandera d'aller nager avec lui, me parlera de choses sans importance, mais il est trop gâté, et ça m'est égal et je l'ignore ; demander le pardon, c'est faire semblant. J'ouvre les yeux. Tim plonge avec la fille de San Diego dans une vague déferlante. Un disque de frisbee atterrit à mes pieds sur le sable. Je vois un lézard.

Plus tard après la plage, nous sommes tous les deux dans la salle de bains et nous nous préparons à aller dîner. Tim s'est enroulé une serviette autour de la taille et se rase. Je suis devant l'autre lavabo et ôte la crème solaire de mon visage avant de prendre une douche. Tim retire la serviette, très à l'aise, et enlève de son visage les traces de crème à raser.

« Est-ce que tu es d'accord pour que j'invite Rachel à dîner avec nous ? »

Je le regarde et réponds : « Bien sûr. Pourquoi pas ?

« — Formidable ! s'exclame-t-il en quittant la pièce.

— Tu as dit qu'elle était de San Diego, c'est ça ? je commente en m'essuyant le visage.

— Oui, elle est à l'université de San Diego.

— Et ici, elle est avec qui ?

— Ses parents.

— Et ce soir, ils ne veulent pas dîner avec elle ?

— Ils passent la nuit à Hilo, dit-il en mettant son slip et en cherchant une chemise. Son beau-père a des affaires là-bas.

— Tu l'aimes bien ?

— Ouais. » Il examine attentivement une chemise blanche comme si elle devait lui fournir la réponse. « Je crois. »

Après la douche, je me dirige vers le dressing en traversant la chambre. Tim semble plus détendu, et je suis heureux qu'il ait fait cette rencontre, heureux qu'il y ait un tiers avec nous à table ce soir. J'enfile un costume de lin, me verse un verre du minibar, et m'assieds sur le lit, regardant Tim qui se met du gel dans les cheveux.

« Alors, tu ne regrettes pas d'être venu ?

— Non, dit-il d'une voix très égale.

— Je pensais que tu n'en avais pas envie.

— Et pourquoi ? dit-il en mettant un peu de gel sur ses doigts qu'il passe sur ses cheveux blonds qui prennent alors une teinte plus foncée.

— Ta mère a laissé entendre que ça ne te disait rien », je déclare très vite. Je bois un peu.

Il m'observe dans la glace, son visage se rembrunissant.

« Non, je n'ai jamais dit ça. J'avais juste un exposé à préparer, c'est tout. » Il se coiffe, se regarde. Satisfait, il se détourne de la glace, me regarde et, au moment où son regard vide croise le mien, je décide d'arrêter là cette discussion.

Nous rencontrons Rachel dans la grande salle à manger. Debout près du piano, elle discute avec le pianiste. Elle a une fleur pourpre dans les cheveux, le pianiste touche cette fleur, et elle rit. Tim et moi nous dirigeons vers le grand piano blanc, elle se retourne, avec son regard bleu tranquille, et nous fait un sourire impeccable. Elle se touche l'épaule et vient vers nous.

« Rachel, commence Tim un peu embarrassé, voici mon père, Les Price.

— Bonjour, Mr. Price, dit-elle, la main tendue.

— Bonjour, Rachel. » Je prends sa main, remarque qu'elle n'a pas de vernis sur les ongles, qu'elle a pourtant très longs et bien polis. Je lâche sa main. Elle se tourne vers Tim.

« Vous avez l'air en forme, tous les deux, annonce-t-elle.

— Toi aussi, dit Tim en souriant.

— Oui, il a raison », je commente.

Tim me regarde, la regarde, et elle dit : « Merci, Mr. Price. »

Le maître d'hôtel nous installe à l'extérieur. Une chaude brise de nuit souffle. Rachel s'assied en face de moi et paraît encore plus belle à la lumière des bougies. Tim, rasé de près, vêtu du costume italien très chic que je lui ai offert cet été, est encore plus bronzé que Rachel, il est bien coiffé, légèrement en arrière, et complète tranquillement la beauté de Rachel, comme s'ils étaient de la même famille. Tim semble à l'aise avec elle, et j'en suis presque heureux pour lui. Je commande un Mai Tai et Rachel un Perrier, Tim une bière. Après avoir bu le premier Mai Tai et en avoir commandé un second, les avoir écoutés parler de MTV, de la fac, des vidéos qu'ils préfèrent, d'un film dont le sujet est une fille handicapée qui apprend à s'accepter telle qu'elle est, je me sens assez détendu pour raconter une histoire qui se termine comme ceci : « Puis-je, s'il vous plaît, vous demander un truc pour me rincer les dents ? » Ils avouent l'un et l'autre n'avoir pas compris ; au lieu de leur expliquer mon histoire, j'embraye aussitôt sur autre chose.

« Qu'est-ce que tu t'es mis sur les cheveux, Tim ?

— Du Tenax, papa. C'est un gel pour les cheveux. » Il me regarde d'un air faussement exaspéré, puis regarde Rachel, qui me sourit.

« C'était juste pour savoir, dis-je négligemment.

— Alors qu'est-ce que vous faites dans la vie, Mr. Price ? demande Rachel.

— Appelez-moi Les.

— OK ! Alors, qu'est-ce que vous faites ?

— Je suis dans l'immobilier.

— Je te l'ai déjà dit, grommelle Tim.

— Vraiment ? dit-elle en me regardant d'un air effronté.

— Oui, insiste Tim sur un ton boudeur. Vraiment. »

Elle détourne les yeux. « J'avais oublié. »

Une image de Rachel nue, les mains sur ses seins, allongée sur mon lit, me traverse l'esprit, et l'idée de la prendre, de la posséder, ne me paraît pas du tout dépourvue d'intérêt. Tim fait semblant de ne pas remarquer l'attention que je porte à Rachel, mais je sais qu'il m'observe attentivement. Rachel flirte ouvertement avec moi, et je ne sais pas encore quelle conduite adopter. Le dîner est servi. Nous l'avalons prestement. Nous commandons autre chose à boire ensuite. À cet instant, je suis assez ivre pour me pencher vers Rachel et lui faire des sourires pleins de sous-entendus. Tim est tellement déprimé qu'il paraît sans consistance.

« Est-ce que vous saviez que Robert Waters est ici ? demande soudain Rachel.

— Qui ça ? réplique Tim d'un ton râleur.

— Allons, Tim, Robert Waters, celui qui joue dans *Flight Patrol, la série télé.*

— Je ne dois pas regarder assez souvent la télé, décrète Tim.

— Ça c'est sûr, dis-je.

— Tu ne sais vraiment pas qui est Robert Waters ? demande Rachel.

— Non, je ne sais pas, dit Tim, avec un peu d'irritation dans la voix. Et toi ?

— J'ai fait sa connaissance le jour de l'élection de Reagan à la réception », dit Rachel. Puis : « Seigneur, je croyais que tout le monde connaissait Robert Waters, lance-t-elle en hochant la tête, l'air de bien s'amuser.

— Eh bien, pas moi, s'écrie Tim, franchement irrité. Pourquoi ?

— Eh bien, c'est un peu gênant, dit Rachel, les yeux baissés.

— Pourquoi donc ? questionne Tim, un peu plus détendu.

— Il est là-bas avec trois types, je déclare alors.

— Et alors ? dit Tim.

— Alors. » Rachel rit franchement.

« L'un des trois a essayé de draguer Tim aujourd'hui », dis-je, essayant de juger la réaction de Rachel. Au début elle ne réagit pas du tout, mais, petit à petit, elle se met à rire, et moi avec elle. Tim, lui, ne rit pas du tout.

« Moi ? dit-il. Quand ça ?

— Au bar, précise Rachel, aujourd'hui sur la plage.

— Lui ? Ce type ? dit Tim en réfléchissant.

— Oui, lui », dis-je en faisant rouler mes yeux.

Il rougit. « Il était sympa. C'est un type sympa. Et alors ?

— Rien, dit Rachel.

— Je suis sûr qu'il était vraiment sympa, je souligne en riant.

— Oui, vraiment sympa », insiste Rachel, pliée en deux de rire.

Tim la regarde, puis me regarde d'un air féroce puisque tout est ma faute, enfin il regarde de nouveau Rachel et son visage change soudain comme s'il venait de comprendre que la discussion se rapportait à un sujet caché et que cette découverte le calmait.

« Je suis sûr que vous êtes tous les deux du genre à remarquer ces choses-là », dit Tim en lui souriant toujours, puis en m'adressant un sourire plus pâle. Il allume une cigarette, me défie, mais je me contente de lui renvoyer son sourire sans rien dire.

« Oui, tu as tout à fait raison, Tim, dis-je en tapotant le bras de Rachel.

— Allez, Tim, conclut-elle en se reculant un peu. Ils t'aiment bien, tu es sûrement le plus jeune type de l'hôtel. »

Tim sourit, tire une bouffée de sa cigarette et dit : « Je n'ai pas remarqué combien il y a de "jeunes types" dans l'hôtel. Désolé.

— Tu ne devrais pas fumer », conseille Rachel.

Il nous regarde à tour de rôle et dit : « Et pourquoi ?

— C'est mauvais pour la santé, déclare-t-elle d'un air très sérieux.

— Il le sait bien, dis-je. Je lui ai déjà dit hier soir.

— Non, tu m'as dit de ne pas fumer parce qu'on était à Hawaii, pas parce que c'est mauvais pour la santé, rétorque-t-il d'un ton furieux.

— Eh bien, en plus c'est mauvais pour ta santé et je trouve ça mal élevé, dis-je sans effort.

— Mais je ne t'envoie pas la fumée dans la figure », marmonne-t-il. Il regarde Rachel pour qu'elle intervienne. « Est-ce que ça t'ennuie ? Enfin, on est dehors, non ! On est dehors ici !

— Oui, mais tu ne devrais pas fumer, Tim », lui dit-elle d'une voix douce.

Il se lève. « Bon, alors je vais aller finir cette cigarette ailleurs, OK ? Puisque vous n'aimez pas la fumée. » Silence. Puis il ajoute : « Est-ce que la chance est avec nous ce soir, papa ?

— Tim ! s'exclame Rachel. Arrête ! Assieds-toi !

— Non, dis-je d'un ton de défi, laissez-le partir. »

Tim s'éloigne.

Rachel gigote sur sa chaise. « Tim ! Oh, merde ! »

Il dépasse deux palmiers en caisse, le pianiste, l'un des pédés, un vieux couple qui danse, puis il entre dans la salle à manger et en ressort.

« Mais qu'est-ce qui lui a pris ? » demande Rachel.

Nous ne disons plus rien et écoutons le piano, le bruit étouffé des conversations qui nous parvient de la salle à manger, le son lointain des brisants sur la plage. Rachel achève un verre que je ne me souviens même pas de lui avoir commandé. Je demande l'addition et je la signe.

« Bonsoir, dit-elle, et merci pour le dîner.

— Où allez-vous ?

— S'il vous plaît, dites à Tim que je suis désolée », chuchote-t-elle. Elle s'éloigne.

Je crie : « Rachel !

— Je le verrai demain.

— Rachel ! »

Elle quitte la salle à manger.

J'ouvre la porte de notre suite. Tim est assis sur
son lit, et regarde par la fenêtre au-delà du balcon
tandis que les rideaux volettent autour de lui. Il fait
complètement noir dans la pièce, où parvient seule
un peu de clarté lunaire, et bien que le balcon soit
grand ouvert, la pièce empeste la marijuana.

« Tim ?

— Quoi ? » Il se retourne.

« Qu'est-ce qui ne va pas ?

— Rien. » Il se lève lentement et va fermer les
portes du balcon.

« As-tu envie de parler ? » lui dis-je.

J'ai pleuré.

« Quoi ? Tu demandes si j'ai envie de parler ? »
Il allume une lampe, me lance un sourire forcé.

« Oui.

— De quoi ?

— À toi de me le dire.

— Il n'y a rien à dire, me lâche-t-il en faisant les
cent pas autour du lit, lentement, en traînant exprès
les pieds.

— Tim, s'il te plaît, allez !

— Quoi ? » Il lance ses bras en l'air, sourit, les
yeux écarquillés et injectés de sang. Il jette sa veste
par terre. « Il n'y a rien à dire. »

Je ne trouve rien d'autre à répondre que :

« Laisse-moi une chance, ne gâche pas toutes mes chances.

— Mais il n'y a rien à gâcher, mon vieux ! » Il rit et répète : « *Mon vieux !*

— Tu ne parles pas sérieusement.

— Rien. Rien du tout », dit Tim de nouveau, mais un peu moins sombrement. Il cesse de marcher, s'assied sur le lit, me tournant le dos. « Laisse tomber, dit-il en bâillant, je n'ai rien... »

Je ne bouge pas.

« Rien, répète-t-il. *Nada.* »

J'erre longtemps dans les jardins de l'hôtel et m'assieds enfin sur un petit banc qui domine l'océan, près d'un lampadaire dont la lumière se reflète dans l'eau. Deux raies mantas, attirées par la lumière intense, nagent en cercles concentriques, leurs nageoires battant lentement l'eau claire. Je suis seul à les observer, et je reste très longtemps à les regarder. Un perroquet lance des cris depuis l'hôtel. Des torches à gaz brûlent de l'autre côté. Je m'apprête à me rendre à la réception pour voir si je peux avoir une autre chambre lorsque j'entends une voix derrière moi.

« *Manta birostris*, appelée aussi raie manta. » Rachel sort de l'obscurité, vêtue d'un pantalon de survêtement et d'un T-shirt très sexy sur lequel on peut lire LOS ANGELES, la fleur du dîner toujours dans ses cheveux. « Elles sont apparentées aux requins, mais habitent des mers plus chaudes. Elles passent l'essentiel de leur vie enfouies partiellement dans la boue ou le sable du fond de l'océan, ou à nager juste au dessus. »

Elle passe par-dessus le banc, s'appuie sur le lampadaire et observe les raies.

« Elles se déplacent en faisant onduler leurs grandes nageoires pectorales, et c'est la queue qui leur sert de gouvernail. Elles se nourrissent surtout de crustacés, de mollusques et de vers marins. » Elle s'interrompt pour me regarder. « Certaines pèsent plus de quinze cents kilos, et sont larges de six mètres. C'est pour ça que les gens les craignent. » Elle regarde vers l'eau et continue à parler, comme si elle s'adressait à un aveugle : « Mais elles sont plutôt craintives. Il leur arrive parfois de faire chavirer un bateau ou de tuer mais seulement si on les attaque. » Elle me regarde. « Elles pondent de gros œufs vert foncé, presque noirs, qui ont une sorte de duvet et des petits tentacules qui leur permettent de s'accrocher aux algues dérivantes. Après l'éclosion, la coque vide dérive vers le rivage. » Elle s'arrête et pousse un grand soupir.

« Où avez-vous appris tout ça ?

— J'ai eu la mention très bien en océanographie à l'université.

— Ah... » Je soupire, ivre. « C'est... intéressant.

— Oui... » Elle regarde de nouveau les raies.

« Où étiez-vous passée ?

— Je traînais dans le coin, dit-elle en regardant autour d'elle, comme si elle voyait l'invisible. Vous avez parlé avec Tim ?

— Oui. Il va bien. » Je hausse les épaules.

« Vous ne vous entendez pas très bien tous les deux.

— Comme presque tous les pères et fils.

— Dommage », dit-elle en me regardant. Elle s'éloigne du lampadaire et s'assied près de moi sur le banc. « Peut-être qu'il ne vous aime pas. » Elle prend la fleur qui est dans ses cheveux et la respire. « Mais je suppose que ce n'est pas très grave parce que vous ne l'aimez sans doute pas beaucoup non plus.

— Est-ce que vous trouvez que mon fils est beau ?

— Oui, très beau. Pourquoi ?

— Juste pour savoir. »

Une des raies remonte à la surface et tape furieusement l'eau avec ses nageoires.

« De quoi avez-vous parlé avec lui cet après-midi ? je lui demande.

— Oh, de pas grand-chose. Pourquoi ?

— Pour savoir.

— Des... des bricoles.

— Lesquelles ? » J'insiste. « Rachel, s'il vous plaît.

— Des bricoles sans importance. »

Nous regardons les raies mantas. Une des deux s'éloigne. L'autre dérive au hasard dans la lumière.

« Est-ce qu'il parle de moi ?

— Pourquoi ?

— J'ai besoin de savoir.

— Pourquoi ? » Elle sourit timidement.

« Je veux savoir ce qu'il dit de moi.

— Il ne dit rien du tout.

— Vraiment ? je murmure, un peu étonné.

— Il ne parle pas de vous. »

Les raies se laissent flotter.

« Je ne vous crois pas.

— Vous êtes bien obligé. »

Le lendemain, Tim et moi jouons au backgammon sur la plage sous un ciel calme. Je suis en train de gagner. Il écoute son Walkman, peu intéressé par l'issue de la partie. Je sors un double six. Il regarde la plage, sans l'ombre d'une émotion sur le visage.

À son tour de faire rouler les dés. Un petit oiseau rouge se pose sur notre parasol vert. Rachel s'avance vers nous, un Perrier à la main, une guirlande de fleurs roses au cou et vêtue d'un petit bikini bleu.

« Salut, Les, salut, Tim, lance-t-elle joyeusement. Belle journée !

— Salut, Rachel », dis-je avec un sourire.

Tim hoche la tête sans lever les yeux, sans ôter ses verres fumés, sans quitter son Walkman. Rachel nous dévisage sans bouger.

« Bon, eh bien, à plus tard, reprend-elle avec effort.

— Oui » dis-je.

Tim reste silencieux. Je bouge deux pions. Rachel s'éloigne vers l'hôtel. J'ai gagné la partie. Tim soupire et se laisse aller sur sa chaise longue, ôte ses lunettes et se frotte les yeux. Sans doute la chance n'était-elle pas avec nous depuis le début. Je m'allonge, l'observe. Il regarde l'océan qui s'étire jusqu'à l'horizon comme un grand drap bleu et plat, mais peut-être voit-il au-delà de l'horizon, déçu de n'y trouver qu'un peu plus de la même platitude, et le jour commence à paraître plus frais malgré l'absence de vent, aussi, lorsque plus tard dans l'après-midi l'océan s'assombrit et que le ciel vire à l'orange, nous quittons la plage.

5

Immobile

Je ne tire pas les rideaux jusqu'au Nouveau-Mexique. Je ne les ouvre pas quand le train quitte le New Hampshire, traverse l'État de New York, ni même quand il entre à Chicago, ou, plus tard encore, lorsque, après un changement, je prends un autre train, celui qui, finalement, me déposera à Los Angeles. Lorsque j'ouvre les rideaux de mon petit compartiment, je suis assise sur le lit et regarde défiler les images à travers la vitre comme si j'étais au cinéma et que la vitre était un écran. Je vois des vaches paître paisiblement sous le ciel couvert du Nouveau-Mexique, des rangées interminables d'arrière-cours, du linge délavé séchant sur des cordes, des jouets rouillés, des glissoires tordues, des balançoires inutilisables, des nuages qui se font plus menaçants à mesure que le train s'approche de Santa Fe. Il y a des moulins à vent dans les champs, qui se mettent à tourner plus vite, des pâquerettes jaunes serrées en petits groupes sur le bas-côté des autoroutes luisantes d'humidité, qui tremblent quand le train passe à proximité, et je me retrouve en train de chantonner « *This Land is your Land* », ce qui m'amène à sortir de ma valise la tenue que je vais porter au mariage de mon père, à la placer sur le petit lit et à la contempler fixement jusqu'à ce que le train s'arrête à la gare d'Albuquerque, et que je pense aussitôt à une chanson folklorique qui parle de cette ville.

C'est au mois de novembre, quand mon père vient me voir à Camden, qu'il m'annonce son prochain remariage. Il me conduit en ville, m'offre quelques livres, puis une cassette au Record Rack. Je n'ai pas vraiment envie des livres ni de la cassette, mais il insiste tellement pour me les offrir que je me laisse faire, et feins d'être très heureuse de la cassette de Culture Club et des trois livres de poésie. Je vais même jusqu'à lui présenter deux filles que je rencontre à la librairie de Camden, des filles qui habitent dans le même bâtiment de la cité universitaire que moi et que je n'aime pas spécialement. Mon père resserre toutes les cinq minutes l'écharpe de laine que je porte au cou, et n'arrête pas de se plaindre du froid, de la neige précoce, de répéter qu'en comparaison il fait doux à Los Angeles, que les nuits y sont tièdes, que je pourrais sans difficulté trouver encore une place à l'université de Los Angeles, à l'USC ou, à défaut, à Pepperdine. J'approuve en souriant, mais je ne dis pas grand-chose, car je me méfie de ses intentions.

À déjeuner, dans un petit bistro des abords de la ville, il commande un vin blanc pétillant et ne fait même pas semblant de remarquer que je commande un gin-tonic. Nous passons notre commande, il boit encore deux vins blancs, et il se met à parler.

« Alors, comment va ma petite punk ?

— Je ne suis pas une punk.

— Allez, tu as pourtant bien l'air d'une petite... punk. » Il sourit, et continue, en voyant que je n'ajoute rien : « Non ? » — son sourire se figeant.

Me sentant soudain un peu gênée pour lui, je dis : « Un peu, ouais. »

Je finis mon verre, mâchonne de la glace, et je décide de ne pas le laisser diriger la conversation, je lui pose donc des questions sur le studio, sur Graham, sur la Californie. Nous expédions notre repas très rapidement, je commande un nouveau gin-tonic et il allume une cigarette.

« Tu ne m'as pas demandé des nouvelles de Cheryl ? dit-il enfin.

— Non ?

— Non. » Il tire une bouffée.

« Mais si.

— Quand ?

— Dans la voiture, en entrant en ville, tu as oublié ?

— Je ne m'en souviens pas.

— J'en suis presque certaine.

— Et moi je ne m'en souviens pas.

— Eh bien, je crois bien que si.

— Tu ne l'aimes pas, c'est ça ?

— Comment va Cheryl ? »

Il sourit, baisse les yeux, puis me regarde.

« Je crois que nous allons nous marier.

— Vraiment ?

— Oui.

— C'est... euh... c'est... alors, mes félicitations. Génial ! »

Il me regarde d'un air inquisiteur et dit :

« Tu trouves vraiment cela "génial" ? »

Je porte le verre à ma bouche en tapotant le rebord pour décoller la glace.

« C'est-à-dire que... je commence à comprendre que tu parles sérieusement...

— Cheryl est une fille formidable. Et vous vous entendez bien toutes les deux. » Il a de nouveau l'air hésitant,· s'apprête à allumer une autre cigarette, puis y renonce. « Je veux dire, vous vous êtes bien entendues quand vous vous êtes rencontrées.

— Mais ce n'est pas moi qui vais l'épouser, c'est toi.

— Quand je t'entends dire ça, ma chérie, je devine exactement ce que tu penses. »

Je caresse sa main posée sur la table, mais quelque chose m'arrête.

« Ne t'en fais pas.

— J'ai été... tellement... seul, dit-il. J'ai l'impression que ça fait une éternité que je suis seul.

— Ouais...

— À un moment donné on a besoin d'avoir quelqu'un près de soi.

— Inutile de m'expliquer, je dis très vite, et avec moins d'acidité. Ce n'est pas la peine.

— Je veux seulement que tu approuves ce que je fais, précise-t-il, c'est tout.

— Mais tu n'en as pas besoin. »

Il se renverse sur sa chaise, repose à nouveau une cigarette qu'il s'apprêtait à allumer et dit : « Le mariage aura lieu en décembre. » Silence. « Quand tu seras là. »

Je regarde, par la fenêtre, la neige durcie, et des nuages gris-noir qui ont la couleur de l'asphalte.

« As-tu appris la nouvelle à maman ?

— Non. »

Au déjeuner, le garçon m'installe à une table près d'un vieux juif qui lit un petit livre noir tout usé, et marmonne tout seul, sans doute en hébreu. Le vieillard ne ressemble pas du tout à mon père, mais il me rappelle, par sa tenue, bien des gens qui travaillent au studio de mon père. Il est plus âgé, porte une barbe, mais c'est la première fois, depuis ce repas à Camden avec mon père, que je me trouve assise à table aussi près d'un homme. Je touche à peine au sandwich que j'ai commandé, parce qu'il est rassis et minuscule, ni à la tiédasse soupe aux légumes. Je mange entièrement, par contre, une petite coupe de glace, je bois un Tab, et m'arrête juste avant d'allumer une cigarette quand je m'aperçois que c'est interdit dans le wagon-restaurant. Je grignote un peu du sandwich, regarde la voiture bondée et remarque que tous les serveurs sont des Noirs et presque tous les passagers des vieillards ou des étrangers. Dehors, un paysage sépia défile, avec des petites maisons de pisé, des jeunes mamans vêtues de jeans coupés aux genoux, de débardeurs, des mamans qui tiennent à bout de bras leurs petits bébés rougeauds quand le train passe, comme pour le leur montrer. Des cinémas en plein air désertés, des dépôts de ferraille immenses et tout aussi désertés. Encore des maisons de pisé. De retour dans mon compartiment, je regarde fixement ma tenue, et écoute sur mon Walkman Boy George qui chante « *Church of the Poisoned Mind* », une chanson qui est sur la cassette que mon père m'a offerte en novembre.

Je dors mal. Même après avoir pris du Valium, je n'arrive pas à m'endormir, tout ce que fait le médicament c'est de me rendre somnolente, j'arpente ma minuscule cabine en essayant de garder l'équilibre tandis que le train fonce dans les déserts, et s'arrête soudain, sans avertissement, me projetant en avant dans l'espace faiblement éclairé. J'ouvre les rideaux, et ne parviens à distinguer que le rougeoiement de ma cigarette reflété sur la vitre. Des annonces expliquent chaque fois que du sable a été projeté par le vent sur les voies, l'une d'elles, vers trois heures du matin, parle même d'un coyote. Je réussis à m'endormir un peu, je m'éveille au moment où le train traverse une espèce d'orage électrique à la frontière de l'Arizona. Il fait très sombre quand, dans un éclat brutal de violet, de pourpre, des éclairs embrasent le ciel, illuminant pendant quelques secondes des petites villes que le train traverse. On entend alors des alarmes sonner, on voit des lampes rouges clignoter, on aperçoit les phares d'une camionnette pick-up solitaire qui attend que le train passe, continuant péniblement sa route dans la nuit, et ces affreuses petites villes défilent, rapetissent, s'écartent les unes des autres, et je suis venue en train non parce que j'ai peur de l'avion, ni pour voir le paysage, mais parce que je refuse de passer trois jours de plus à Los Angeles chez mon père avec Cheryl ou chez ma mère avec Graham. Voici un centre commercial fermé, une enseigne au néon signalant une station-service, et le train s'arrête, puis reprend sa course, il est inutile de retarder les choses inévitables, je referme les rideaux.

Le lendemain au petit déjeuner, je fais la connaissance d'un riche et jeune Vénézuélien qui porte une veste Yves Saint Laurent et qui, lui aussi, va à Los Angeles. Il revient du Salvador, parle sans arrêt de la beauté de ce pays, des habitants qui le détruisent, du concert de Lionel Ritchie auquel il a assisté là-bas. En attendant d'être servi, le jeune homme feuillette *Penthouse* et moi je regarde par la fenêtre, je vois des champs interminables, des raffineries de pétrole qui n'en finissent pas d'aligner leurs cheminées, des parkings bourrés de semi-remorques, des relais de télévision qui sortent d'un sol d'argile rougeâtre. J'ouvre un carnet que j'ai emporté et m'évertue à remettre de l'ordre dans des notes du dernier trimestre que je dois reprendre, mais je n'y arrive pas. Le train s'arrête longtemps devant la pizzeria d'une ville sans nom de l'Arizona. Une famille de cinq personnes sort de la pizzeria, et l'un des enfants salue le train d'un grand geste ; je me demande qui peut bien emmener ses enfants dans une pizzeria pour le petit déjeuner. Le jeune Vénézuélien renvoie son salut au gamin et me sourit.

Je mange lentement, faisant semblant de me concentrer sur le pain bis rassis et les crêpes racornies pour que mon voisin ne me parle pas. Je contemple parfois les prairies et le bétail qui y broute. Je sors de ma poche un cachet de Valium et le tripote entre mes doigts. À part le jeune Vénézuélien revenu du Salvador, la seule personne plus ou moins de mon âge dans le wagon est une Noire à l'air triste qui me regarde fixement depuis l'autre côté du wagon, ce qui me pousse à presser le Valium entre mes doigts plus fort encore. J'attends qu'elle regarde ailleurs et j'avale aussitôt le cachet.

« Mal à la tête ? demande le jeune homme.

— Oui, j'ai la migraine », je réponds en souriant timidement.

La femme noire me jette encore un coup d'œil puis se lève, elle est remplacée par un couple d'obèses totalement couverts de turquoises. Le jeune Vénézuélien regarde la page centrale de sa revue, puis moi, sourit, et je pense que mon père avait raison quand il m'a dit, il y a deux semaines au téléphone : « Tu devrais prendre l'avion », mais je suis stupéfaite de voir régulièrement le sol disparaître sous le train quand il franchit un ravin ou un fleuve couleur chocolat.

J'appelle Graham, mon frère, d'une gare à Phoenix, dans l'Arizona. Lui prend un bain chaud à Venice.

« Il n'a pas changé d'idée, je déclare après un silence.

— Quel scandale ! réplique Graham.

— Il va le faire.

— On s'en fout.

— Tu as l'air défoncé.

— Pas du tout.

— Tu as la voix triste quand tu es défoncé. Je suis sûre que tu es défoncé.

— Pas encore.

— J'ai devant moi une énorme machine à sous, plus grande qu'un lit pour deux personnes, je dis à Graham. Tu devrais lui parler. »

J'allume une cigarette ; elle a mauvais goût.

« Quoi ? reprend Graham. C'est pour ça que tu m'appelles ? Pour que je lui parle ?

— Tu ne vas rien lui dire ? Tu ne vas rien faire ?

— Oh, merde. » J'entends Graham aspirer quelque chose, puis expirer lentement. Sa voix devient plus grave. « Qu'est-ce que tu veux que je fasse ?

— Que tu lui parles, tout simplement.

— Mais écoute, je ne l'aime même pas.

— Tu ne vas pas le regarder faire ça sans rien faire.

— Mais qui t'a dit que je regardais cet idiot faire quoi que ce soit ?

— Tu as dit, Graham... tu as dit... » Je suis au bord des larmes.

J'avale ma salive, me calme. « Tu as dit qu'elle est allée voir neuf fois *Flashdance*. » Je commence à sangloter en me mordant les doigts. « Tu as dit que c'était... son film favori !

— Elle a dû le voir... attends... ouais, neuf fois, c'est ça !

— Graham, écoute, pour une fois...

— Elle n'est pas si mal, dit Graham. En fait, elle est plutôt sexy... »

Un Valium de plus. Un coup d'œil par la vitre. Des gares de style espagnol, des panneaux d'aiguillage, des voitures qui foncent dans le désert vers Las Vegas en pleine nuit, des averses torrentielles, des éclairs qui illuminent brièvement des affiches sur une route vers Reno, des gouttes de pluie énormes qui s'écrasent sur la vitre. Une annonce du haut-parleur me fait sursauter. Je cligne les yeux. « Une personne parlant français est demandée au wagon-restaurant. » Cette demande m'intrigue, me paraît tellement extraordinaire que je me coiffe en vitesse, ramasse une revue et file vers le wagon-restaurant, bien que je ne parle pas le français. En y arrivant, je ne vois personne qui ait l'air français ni personne qui recherche quelqu'un parlant le français. Je m'assieds, regarde par la vitre, mais une femme soûle assise devant moi semble parler toute seule, alors qu'en réalité elle s'adresse au couple d'obèses couvert de turquoises, qui s'efforce de ne pas faire attention à elle. La femme parle des films qu'elle a vus sur le câble quand elle était chez son fils à Carson City.

« Avez-vous vu *Mr. Mom* ? demande la femme ivre, la tête penchée en avant.

— Non, réplique la grosse femme, les bras

repliés sur un sac bleu turquoise posé sur ses genoux.

— Adorable petit film, a-do-ra-ble ! » dit la femme, qui s'interrompt en espérant une réponse.

Un couple à l'air pauvre entre avec ses trois enfants dans le wagon et la mère commence à jouer avec l'un des gamins en utilisant des élastiques. Je regarde, fascinée, le plus jeune enfant avaler un petit carré de beurre.

« Alors vous n'avez pas vu *Mr. Mom* ? » répète la femme.

La grosse femme répond : « Non », tandis que son mari recroise ses énormes jambes en tripotant sa cravate au bout de laquelle un petit bijou en turquoise pendouille.

Le bruit des enfants, la conversation décousue de la femme soûle, deux étudiantes qui rient bêtement en parlant de Las Vegas, tout cela m'irrite, mais je ne bouge pas car j'ai peur de me retrouver seule dans mon petit compartiment et de repenser au but de mon voyage. Une autre cigarette, des lampes qui clignotent, puis disparaissent. Le train plonge dans un tunnel mais, lorsqu'il en sort, il fait tout aussi noir dehors. L'un des gosses chantonne « *God is gonna get you, God is gonna get you*[1] », puis, plus fort, « *Father, father, father*[2] » et le petit garçon qui a mangé le beurre montre du doigt son père, les yeux écarquillés, sa petite bouche grande ouverte, attendant qu'il lui dise quoi faire. Le père rote, sort une cigarette Parliament, l'allume, et me regarde, il n'est finalement pas si moche que ça.

----

1. Dieu t'aura.
2. Père, père, père.

Je rentre dans mon compartiment une heure plus tard et j'y trouve un steward noir qui met de l'ordre ; il a fait le lit et nettoie le petit recoin qui passe pour une salle de bains.

« Où allez-vous ? me demande-t-il.

— À Los Angeles, je lui réponds, debout dans le couloir.

— Et pour y faire quoi ?

— Rien, je murmure finalement.

— J'ai déjà entendu ça quelque part, dit-il en riant. Vous allez voir quelqu'un ?

— Mon père se marie.

— Est-ce qu'elle est bien ? »

Il sort le sac en plastique de la poubelle et le noue.

« Quoi ?

— Vous l'aimez bien ? »

Le train freine, s'arrête, et les freins font un bruit de soupir.

« Non.

— Nous arrivons. »

C'est l'été où je reviens à L.A., où je ne fiche absolument rien, que je rencontre Cheryl pour la première fois. Mon père m'en a souvent parlé quand il me téléphone le dimanche soir, mais jamais clairement, et si par hasard il laisse entendre qu'il l'aime beaucoup, il corrige aussitôt cette impression. Le peu que je sais d'elle, je le tiens de Graham. Elle est bronzée, blonde, mince, elle a un peu plus de vingt ans, et elle a vaguement envie d'être journaliste à la télé ou à la radio. Quand j'insiste pour qu'il m'en dise plus, Graham, complètement cassé, me répond ceci : Cheryl lit et relit sans cesse le *Guide des poissons 1984* de Sydney Omarr ; Cheryl adore le film *Flashdance* et l'a vu cinq fois depuis sa sortie l'année dernière ; elle possède dix sweat-shirts déchirés avec le mot MANIAC[1] écrit dessus ; Cheryl fait tous les exercices de Jane Fonda avec son magnétoscope ; William a offert une pizza à Cheryl chez Spago. Ces informations sont invariablement suivies du commentaire suivant de Graham, presque inaudible ; « Tu piges ? » Si je lui demande, folle furieuse, de me dire *comment* ça s'est passé, il me répond : « On dirait que tu n'es jamais sortie avec ton prof de ski. Tu t'es déjà attachée à quelqu'un, non ? »

Je ne suis même pas sûre que le divorce de mes parents soit prononcé, mais, en août, je vais passer deux jours chez mon père après être restée chez ma mère sans avoir réussi à la voir. Je roule vers son nouvel appartement de Newport Beach. Cheryl me propose d'aller faire des courses avec elle. Nous allons chez Bullock's, chez Saks, au Neiman Marcus qui vient d'ouvrir, où Cheryl achète une horrible veste en cuir vert olive avec des caractères orientaux imprimés sur tout le dos, certainement pour l'offrir à mon père. Elle me parle avec enthousiasme d'un livre dont je n'ai jamais entendu parler, *Mégatendances*. Nous prenons un jus de fruits et un thé à la terrasse d'un bistro nommé Sunshine, dans le centre commercial, Cheryl semble bien connaître les jeunes types qui travaillent au bar. Tofu coupé au jus de fruits, infusions, yaourts glacés. Cheryl porte un sweat-shirt rose fluo, déchiré à l'épaule, le mot MANIAC écrit en lettres bleu ciel dessus, et cette vue me fait penser soudain à autre chose. Elle me parle d'une série qu'elle regarde à la télé, d'un homme qui veut faire comprendre à sa famille qu'il est toujours bien vivant.

---

1. FOU.

« Ça va ? me demande-t-elle.

— Oui, ça va, je lui réponds d'un ton boudeur.

— Pourtant, t'as pas l'air en forme ; malgré ton bronzage, tu n'as pas l'air très heureuse.

— Non, ça va.

— Tu as déjà pris des tablettes d'oxyde de zinc ?

— Oui, oui, j'en prends.

— Mais tu continues à fumer ?

— Moins.

— Ton père m'a promis qu'il allait s'arrêter, dit-elle en avalant une cuillerée de yaourt.

— Ah oui... ?

— Est-ce que Graham fume aussi ?

— Oui, et même la pipe.

— Pas la pipe ! dit-elle, horrifiée.

— Si, quelquefois.

— Quand ?

— Quand il n'a pas de papier... », je précise, et, voyant qu'elle ne comprend pas, j'ajoute : « Ou quand il a perdu son bong.

— Tu veux venir avec moi à mon cours d'aérobic ?

— Un cours d'aérobic ?

— On dirait que c'est la première fois que tu entends parler d'aérobic !

— Je suis un peu fatiguée. Mais d'accord.

— C'est du tofu au kiwi. Ça paraît complètement délirant, mais c'est très bon. Interdiction de se moquer, hein !

— Pardon. »

Plus tard, dans la Jaguar toute neuve que mon père lui a offerte, elle dit : « Est-ce que tu m'aimes bien ?

— Je crois. » Silence. « Je ne sais pas.

— Ça n'est pas une réponse, ma puce.

— C'est tout ce que je peux te dire. »

Le train arrive à Los Angeles au crépuscule. La ville paraît déserte. Au loin, les collines de Pasadena, les canyons, les petits rectangles bleus des piscines éclairées. Le train longe des réservoirs d'eau vides, des parkings immenses et déserts, puis l'autoroute, et une interminable rangée d'entrepôts à louer, et je vois des bandes de jeunes garçons debout contre des palmiers ou formant des groupes dans les allées des immeubles, ou autour de voitures aux phares allumés, buvant des canettes de bière en écoutant les Motels. Le train ralentit en s'approchant de Union Station, comme s'il hésitait, dépasse des églises mexicaines, des bars, des boîtes de striptease, un cinéma en plein air où passe un film d'horreur sous-titré. Les palmiers se détachent sur le ciel orange-pourpre, un ciel changeant, une femme passe devant la porte de mon compartiment et chantonne pour elle-même ou pour quelqu'un d'autre, qui sait : « *This ain't no silver streak* [1] », et je vois par la vitre un jeune Mexicain qui conduit un camion Chevrolet rouge chanter au son de sa radio. Je pourrais presque toucher son visage grave et vide, entièrement tendu en avant.

Je suis dans une cabine téléphonique de Union Station. Il fait chaud, même à cette heure de la soirée et en ce mois de décembre. Trois jeunes breakdancers noirs s'agitent autour de la cabine. Je m'assieds, sors mon carnet d'adresses, et compose calmement le numéro de ma mère, en me servant du numéro de la carte de crédit de mon père pour payer

1. C'est pas le coup de chance.

la communication. Je raccroche très vite et observe les Noirs danser. J'allume une cigarette, la fume entièrement et refais le numéro. Il sonne treize fois.

« Allô ? » C'est la voix de ma mère.

« Salut, c'est moi.

— Ah... » Ma mère semble se remettre lentement de sa surprise, avec une voix désincarnée, mono-corde.

Je finis par répéter ce que je viens de dire.

« Où es-tu ? dit-elle sans conviction.

— Tu dormais ?

— Quelle heure... quelle heure est-il ?

— Sept heures. Sept heures du soir.

— Vraiment, chuchote-t-elle, l'air étonnée.

— Je suis à Los Angeles.

— Ah... » Elle se tait, surprise. « Mais pourquoi ?

— Parce que j'ai pris un train.

— Comment... comment était le voyage ? demande-t-elle après un long silence.

— Très... très bien.

— Mais pourquoi tu n'as pas pris l'avion du studio ? » dit-elle d'une voix lasse.

Le jeune Vénézuélien passe près de la cabine, me voit, sourit, mais, dès qu'il s'aperçoit que je san-glote, il prend peur et s'éloigne. Dehors une vaste limousine attend sagement près du trottoir. Le chauffeur agite une pancarte avec mon nom dessus.

« Eh bien, c'est bien que tu sois là... euh..., dit ma mère. Oui. » Silence. Puis : « C'est pour Noël, non ?

— As-tu parlé à papa récemment ? je lâche enfin.

— Et... pourquoi est-ce que je devrais lui parler ?

— Donc tu ne sais pas ?

— Non, je ne sais pas. »

Je m'assieds dans le wagon-restaurant quand le train sort de Los Angeles. Je prends un verre, je parcours *Vanity Fair*, j'avale un Valium. Deux surfeurs entrent dans le wagon et prennent une bière avec deux étudiantes. Une vieille femme, fatiguée et bronzée, s'assied près de moi.

« Vous allez au Nord ?

— Oui.

— À San Francisco ?

— Tout près.

— Quelle belle ville ! » Elle soupire et ajoute : « À ce qu'on dit.

— Où allez-vous ?

— À Portland.

— C'est là que va ce train ?

— Je l'espère.

— Vous êtes de L.A. ? je lui demande, abrutie par le Valium et le Tanqueray.

— Non, de Reseda.

— Bel endroit », je commente à voix basse, en parcourant ma revue, très calme, n'ayant pas la moindre idée de la région où se trouve Reseda, mais comprenant vaguement. Mes yeux parcourent des pages de publicité qui expliquent chacune à leur manière la meilleure façon de vivre. « C'est si joli. » Je lui tends lentement le magazine, et elle l'accepte dans le même esprit que celui qui m'a incitée à le lui passer, même si on dirait qu'elle n'en a pas vraiment envie.

6

Le soleil ne donne pas d'eau

Danny est sur mon lit, déprimé parce que Ricky s'est fait séduire par un type qui dansait à l'Odyssey le soir du concours de sosies de Duran-Duran, et a été assassiné. Biff, l'actuel amant de Ricky, a appelé Danny après avoir probablement obtenu mon numéro de quelqu'un à la chaîne et lui a appris la nouvelle. J'entre et Danny me dit : « Ricky est mort. La gorge tranchée. Vidé de tout son sang. Biff vient d'appeler. » Danny ne fait pas un seul geste et n'explique pas davantage le ton sur lequel Biff lui a appris cette nouvelle, il n'ôte même pas les Wayfarers qu'il porte jusque dans ma chambre, il est pourtant huit heures du soir. Il est allongé et se contente de suivre un programme religieux sur le câble. Je ne trouve pas les mots. Je suis simplement soulagée qu'il soit encore là, qu'il ne soit pas parti.

De la salle de bains où je déboutonne mon corsage et dégrafe ma jupe, je lui crie : « As-tu enregistré le journal télévisé ?

— Non, dit Danny.

— Pourquoi ? » Je m'interromps pour passer un peignoir de bain.

« Je voulais enregistrer les Jetsons », dit-il d'une voix morne.

Je sors sans rien dire de la salle de bains. Je me dirige vers le lit. Danny porte un short kaki et un T-shirt FOOTLOSE qu'il a reçu en cadeau le soir de la première d'un film au studio de cinéma où son père est producteur. Je le regarde, vois mon reflet distordu, courbé, dans les verres de ses lunettes, puis, ma jupe et mon corsage à la main, j'entre dans le dressing et les jette dans un panier à linge. Je reviens près du lit.

« Bouge-toi », dis-je

Il ne bouge pas. « Ricky est mort. Il a perdu tout son sang. Il était tout noir, Biff me l'a dit, répète-t-il d'une voix détachée.

— Je t'avais pourtant dit de laisser le téléphone décroché ou de le débrancher, je vitupère en m'asseyant. Je t'avais pourtant dit que je recevrais tous mes appels à la station.

— Ricky est mort, répète Danny.

— Quelqu'un m'a piqué mes essuie-glaces aujourd'hui, dis-je un peu plus tard en lui prenant la télécommande pour changer de chaîne. Le voleur a laissé un papier sur lequel était écrit "*Mi hermana*[1]".

— Biff », soupire-t-il, puis il ajoute : « Qu'est-ce que t'as fait ? T'as braqué un Taco Bell[2] ?

— Biff m'a piqué mes essuie-glaces ? »

Rien.

« Pourquoi est-ce que tu n'as pas enregistré le journal télévisé ce soir ? redis-je d'une voix douce, sans trop insister.

— Parce que Ricky est mort.

— Mais tu as bien enregistré les Jeffersons », j'insiste d'un ton accusateur, cherchant à garder

---

1. Ma sœur.
2. Fast food Tex Mex.

mon calme. Je mets MTV, dans la vague intention de lui faire plaisir. Malheureusement un clip de Duran-Duran est en train de passer.

« Les Jetsons, dit-il, pas les Jeffersons. J'ai enregistré les Jetsons. Arrête ça !

— Pourtant tu enregistres toujours les infos, dis-je en essayant de ne pas geindre. Tu sais bien que j'aime les voir. » Silence. « Je croyais que tu avais vu tous les épisodes des Jetsons. »

Danny ne dit rien, et recroise ses longues jambes sculpturales.

« Et pourquoi le téléphone était branché ? » dis-je en essayant de paraître gaie.

Il se lève si brusquement que je sursaute. Il va jusqu'aux baies vitrées qui ouvrent sur le balcon du côté du canyon. Il fait encore clair et chaud dehors, et au-delà de Danny on voit encore la chaleur trembler dans l'air au-dessus des collines, alors je m'entends dire : « Ne pars pas, je t'en prie », et il dit : « Je ne sais même pas ce que je fiche ici », et je demande, d'une voix presque soumise : « Pourquoi tu es venu ? » et il répond : « Parce que mon père m'a mis à la porte », et je dis « Pourquoi » ? et il explique : « Parce que mon père m'a dit "Qu'est-ce que tu attends pour trouver un travail ?" et que je lui ai répondu "Va te faire enculer". » Il s'interrompt et, comme je suis au courant pour Edward, je me demande s'il l'a vraiment fait et il répète : « J'en ai marre de cette discussion. Si tu changeais de disque ?

— On n'a jamais discuté de ça avant », dis-je doucement.

Danny fait volte-face, s'adosse aux baies vitrées et avale sa salive bruyamment, en regardant fixement un nouveau clip sur MTV. Je détourne mon regard vers l'écran. Une jeune femme en bikini noir est terrorisée par trois énormes types musclés, à demi nus, qui jouent de la guitare. La fille court se réfugier dans une chambre et s'accroche désespérément aux stores vénitiens au moment où de la fumée, ou peut-être est-ce du brouillard, pénètre dans la pièce. Le clip se termine, je ne sais plus très bien comment et je regarde de nouveau Danny. Il n'a pas quitté l'écran des yeux ; une pub pour un concours où l'on gagne un week-end de défonce avec Van Halen. David Lee Roth, l'air camé, avec deux filles à moitié nues à ses côtés, regarde la caméra et dit : « Qu'est-ce que vous diriez d'un petit tour dans ma limousine ? » Je regarde Danny.

« Ne pars pas, dis-je en soupirant, me fichant d'avoir l'air pathétique.

— Je me suis inscrit ! » lance-t-il, les lunettes noires toujours sur le nez.

Je débranche le téléphone, et repense à mes essuie-glaces arrachés.

« Tu t'es inscrit à ce concours stupide ? dis-je. C'est de ça que nous avons parlé ? »

Je suis en train de déjeuner avec Sheldon dans un restaurant de Melrose Avenue. Il est midi, le restaurant est déjà plein, mais calme. De la musique est diffusée, un rock tranquille. Trois grands ventilateurs suspendus au plafond dispensent de l'air frais. Ils tournent très lentement. Sheldon sirote un Perrier et j'attends sa réaction. Il repose son grand verre bourré de glaçons, regarde par la fenêtre, contemple fixement un palmier, ce que je juge momentanément insupportable.

« Sheldon ?

— Deux semaines ? dit-il.

106

— Je me contenterai d'une seule si c'est tout ce que tu peux faire pour moi... »

Je regarde mon assiette : une grande Ceasar salade à peine entamée.

« Mais pourquoi tu veux cette semaine ? Où veux-tu aller ? » Sheldon semble inquiet.

« Quelque part. » Je hausse les épaules. « Me reposer un peu.

— Où ?

— Quelque part, je te dis.

— Mais enfin, bon sang, c'est où, quelque part, Cheryl ?

— J'en sais rien, Sheldon.

— Est-ce que tu es en train de craquer, Cheryl ?

— Qu'est ce qu'il y a, putain, Sheldon ? Est-ce que tu peux me donner une semaine ou non ? » Je prends une cuillère, l'enfoui dans la salade, porte la laitue à ma bouche, mais elle retombe sur l'assiette. Je repose la cuillère. Sheldon me regarde avec un air tellement stupéfait que je détourne les yeux.

« Écoute... euh... je vais essayer, dit Sheldon sur un ton conciliant, mais l'air toujours étonné. Tu sais bien que je ne peux rien te refuser.

— Tu vas *essayer* ? dis-je, incrédule.

— Tu manques de foi, c'est ça ton problème, affirme Sheldon, tu manques de foi. Et tu ne t'es pas inscrite dans une salle de sport comme tu l'avais promis.

— C'est mon agent qui ose prétendre que *je* manque de foi, dis-je. Alors ma vie est vraiment un désastre !

— Tu devrais te remettre à la gym, dit Sheldon en soupirant.

— Je ne manque pas de foi, Sheldon. J'ai juste besoin d'une semaine à Las Cruces. » Je reprends de la salade, cette fois avec une fourchette, et je fais en sorte que Sheldon s'en aperçoive. « De l'aérobic, j'en ai fait, bon sang, qu'est-ce que j'ai pu en faire ! dis-je entre mes dents.

— Je vais voir. J'en parlerai à Jerry. Et Jerry en parlera à Evan. Mais tu sais ce qu'on dit, ajoute Sheldon en soupirant, les yeux fixés sur le palmier. Le soleil ne donne pas d'eau.

— Mais qu'est-ce que tu racontes, Sheldon ? Tu te shootes, ou quoi ? »

L'addition arrive, et il sort son portefeuille, puis une carte de crédit.

« Tu vis toujours avec ce très beau garçon ? demande-t-il avec un dédain très prononcé.

— Je l'aime bien, Sheldon », dis-je, puis, avec moins d'assurance : Et il m'aime bien aussi.

— Sûrement, Cheryl, sûrement. Tu ne voulais pas de dessert ? »

Je fais non de la tête, tentée, finalement, de terminer ma salade, mais le garçon emporte déjà mon assiette. J'ai l'impression que tout le monde, dans le restaurant, m'a reconnue.

« Ne fronce donc pas les sourcils comme ça, dit Sheldon en rangeant son portefeuille.

— Et pourquoi ? Qu'est-ce que ça peut te faire ? »

J'essaie quand même de sourire, et je pose ma serviette sur la table, comme si j'étais une personne normale.

« Ton téléphone a été plutôt... très occupé récemment, remarque-t-il d'une voix douce.

— Tu peux toujours me joindre à la chaîne, dis-je, tu le sais bien.

— Tu as parlé à William récemment ?

— Je ne suis pas sûre d'avoir envie de parler avec William.

— Mais lui a envie de te parler.

— Comment tu le sais ?

— Je suis tombé plusieurs fois sur lui par hasard récemment.

— Seigneur ! je n'ai pas du tout envie de revoir ce crétin ! »

Un jeune serveur mexicain débarrasse nos verres d'eau.

« Cheryl, la plupart des femmes que je connais acceptent de parler avec leur ex-mari si celui-ci le demande. C'est quand même pas extraordinaire ! Enfin ! Et toi, tu ne veux même pas le prendre au téléphone ?

— Il peut me joindre à la chaîne, je ne veux pas lui parler. Il est pathétique. »

Je regarde par la fenêtre et vois deux adolescentes, en minijupe, les cheveux blonds coupés court, qui s'approchent avec un grand garçon blond qui me fait penser à Danny. Ce n'est pas qu'il lui ressemble exactement — il lui ressemble très exactement —, c'est plutôt sa démarche apathique, sa manière de se regarder dans les vitres du restaurant, la même paire de Wayfarers sur le nez. Il les retire un instant et m'observe fixement sans me voir évidemment, et il passe sa main dans ses cheveux blonds très courts, les deux filles s'appuient contre le palmier que Sheldon contemplait, allument des cigarettes, et le garçon remet ses lunettes de soleil, vérifie qu'elles ne sont pas de travers, se détourne et descend Melrose Avenue, les deux filles quittant alors le palmier pour le suivre.

« Tu le connais ? » demande Sheldon.

Vers trois heures, William m'appelle à la chaîne. Je suis à mon bureau où je travaille à un scénario à propos du Vingtième Anniversaire de l'assassinat de

Kitty Genovese. Il me dit que mon téléphone est toujours occupé, et qu'il voudrait m'inviter à dîner un soir cette semaine. Je réponds que j'ai été très occupée, que je suis fatiguée, que j'ai trop de travail. Il répète le nom d'un nouveau restaurant italien sur Sunset Boulevard.

« Et Linda ? »

Je me rends compte que je n'aurais pas dû dire ça, que de cette manière il va croire que je m'intéresse à sa proposition.

« Elle est partie à Palm Springs pour deux ou trois jours.

— Et Linda ?

— Quoi, et Linda ?

— Eh bien oui, et Linda ?

— Je crois que tu m'as manqué. »

Je raccroche et regarde les photos du cadavre de Kitty Genovese ; William ne rappelle pas. Au maquillage, Simon parle d'un scénario sur lequel il travaille en ce moment sur le phénomène break-dance à West Hollywood. Dès le début du journal, je regarde droit vers la caméra et j'espère que Danny me regarde puisque c'est le seul moment où il me regarde vraiment. Je souris d'un air chaleureux avant chaque coupure publicitaire, même si c'est à contretemps, et à la fin du journal j'ai presque envie de dire : « Bonsoir Danny ! » Mais en faisant des courses à Brentwood, je vois un petit enfant très cruellement brûlé dans un berceau, et je me souviens du ton qu'a pris William pour me dire : « Je crois que tu m'as manqué » avant que je ne lui raccroche au nez, et quand je sors du marché le ciel est léger, trop pourpre, et calme.

Il y a une Rabbit blanche garée à côté de la Porsche rouge de Danny dans l'allée, elle-même garée tout près d'une immense amarante. Je dépasse les voitures et gare ma Jaguar sous l'auvent et y reste assise un bon moment avant de descendre avec mes courses. Je les pose sur la table de cuisine, ouvre le frigo et bois la moitié d'un Tab. Il y a un mot de la main de la bonne sur la table, dans un anglais approximatif, pour dire que William a appelé. Je me dirige vers le téléphone et le débranche et roule le papier en boule. Un garçon de dix-neuf ou vingt ans, bronzé, aux cheveux blonds très courts, portant seulement un short bleu et des sandales, entre dans la pièce, s'arrête soudain en me voyant.

« Bonjour, dis-je.

— Salut, réplique-t-il en souriant.

— Qui êtes-vous ?

— Je m'appelle Biff. Salut.

— Biff ? C'est vous, Biff ?

— Ouais, dit-il en sortant de la cuisine. À plus. »

Je reste là avec la boule de papier dans ma main. Je la jette et monte l'escalier. La porte d'entrée claque et j'entends la Rabbit démarrer, faire marche arrière et rouler dans la rue.

Danny est allongé sur mon lit sous un drap très mince, et regarde fixement la télé. Des Kleenex usagés sont éparpillés tout autour du lit, à côté d'un jeu de tarots et d'un avocat. La pièce est étouffante et j'ouvre la porte du balcon, entre dans la salle de bains, mets ma robe de chambre, vais jusqu'au magnétoscope et rembobine la cassette sans bruit. Je jette un coup d'œil par-dessus mon épaule à Danny. Il regarde toujours en direction de l'écran que je cache à sa vue. J'appuie sur « Marche » et un concert des Beach Boys apparaît. J'appuie sur

« Avance rapide » puis sur « Marche » : il n'y a rien sur la cassette en dehors de ce concert.

« Tu n'as pas enregistré le journal ce soir.

— Si.

— Mais il n'y a rien là-dessus.

— Vraiment ? » Il soupire.

Il réfléchit un instant et grogne : « Oh zut, je suis désolé, il fallait que j'enregistre les Beach Boys. »

Silence. Puis moi : « Il *fallait* que tu enregistres les Beach Boys ?

— C'était le dernier concert avant la mort de Brian Williams », dit Danny.

Je soupire, tapote le magnétoscope. « Ce n'était pas Brian Williams, espèce de crétin, c'était Dennis Wilson.

— Non, pas du tout, dit-il, un peu énervé. C'était Brian.

— Ça fait deux jours de suite que tu oublies d'enregistrer le journal, dis-je en pénétrant dans la salle de bains, et en ouvrant les robinets. Et c'était Dennis, pas Brian !

— Je ne sais pas où tu as pu entendre une connerie pareille, c'était Brian !

— C'était Dennis Wilson, j'affirme à haute voix en me penchant pour tâter la température de l'eau.

— Absolument pas. C'était Brian, tu as totalement tort. »

Il se lève du lit, un drap autour de la taille, attrape la télécommande et se rallonge.

« C'était Dennis, je répète en sortant de la salle de bains.

— Brian, répond-il en zappant sur MTV. Tu as cent pour cent tort.

— Je te dis que c'était Dennis, espèce de petit crétin. » Je crie en descendant l'escalier. Je vais mettre l'air conditionné, et j'ouvre une bouteille de vin blanc dans la cuisine, sors un verre du placard et remonte.

« William a téléphoné cet après-midi, dit-il.

— Qu'est-ce que tu lui as répondu ? » Je me sers un verre de vin blanc et m'assieds, cherchant à garder mon calme.

« Qu'on baisait comme des malades et que tu ne pouvais pas aller jusqu'au téléphone, dit Danny en souriant.

— Qu'on baisait comme des malades... tu ne mentais pas vraiment...

— Ouais. » Il grogne.

« Et pourquoi avais-tu rebranché ce putain de téléphone ? je me mets à crier.

— Mais tu es malade ! » Il se redresse brusquement. « Qu'est-ce que c'est que ce bordel avec le téléphone ? Tu es folle... tu es... tu es... » Il n'arrive pas à trouver le mot juste.

« Et qu'est-ce que ce petit surfeur fabriquait dans ma maison tout à l'heure ? » Je termine mon verre et m'en verse un autre, un peu dégoûtée.

« C'était Biff, dit Danny sur un ton agressif. Il ne fait pas de surf.

— En tout cas, il avait l'air mal », dis-je très haut, d'un ton sarcastique en retirant ma robe de chambre.

Dans la salle de bains, je me glisse dans l'eau chaude, ferme les robinets, et m'allonge en sirotant mon vin blanc. Danny, avec le drap toujours autour de la taille, entre, et jette des Kleenex dans la corbeille, puis s'essuie les mains sur le drap. Il abaisse le siège des W.-C., s'assied, et allume le joint qu'il tient dans l'autre main. Je ferme les yeux, avale une grande gorgée de vin. Les seuls bruits que j'entende sont celui de la musique sur MTV, le goutte-à-goutte d'un des robinets, et Danny qui tire sur son joint très mince. Je remarque que, dans la journée, Danny s'est éclairci les cheveux avec un produit.

« Tu veux une taf ? dit-il en toussant.

— Quoi ?

— Tu veux une taf ? » Il me tend le joint.

« Non, merci. »

Il s'adosse aux W.-C., et, me sentant un peu embarrassée, je me tourne sur le ventre, mais ce n'est pas confortable, alors je me mets sur le côté, puis sur le dos, mais il ne me regarde même pas. Il a les yeux fermés. Il dit, d'une voix monocorde :

« Biff a été sur Sunset Boulevard aujourd'hui, et il m'a raconté qu'il a vu une vieille femme très handicapée, avec une tête énorme, des mains immenses et très grasses, et qu'elle criait et hurlait, faisant s'arrêter les voitures. » Il tire une bouffée et dit : « Et elle était à poil », il expire sa fumée et ajoute d'une voix tranquille : « Elle était à un arrêt de bus tout en bas du Strip, sans doute près de Hillhurst. » Il reprend une bouffée et garde le joint à la bouche.

Je vois très clairement la scène et, après y avoir réfléchi, je demande : « Et pourquoi tu me racontes ça ? »

Il hausse les épaules et ne répond pas. Les yeux grands ouverts, il regarde fixement le bout rougeoyant du joint et tire une bouffée. J'attrape la bouteille et me verse un autre verre de vin blanc.

« Raconte-moi quelque chose maintenant, dit-il.

— Quoi, par exemple ? Des trucs du boulot ?

— N'importe quoi...

— Je... je veux un enfant », je déclare sans trop réfléchir.

Après un long silence, il dit : « Déconne pas », et hausse les épaules.

« Tu as dit "Déconne pas" ? » Je ferme les yeux

et ajoute d'une voix très calme : « C'est bien ce que tu as dit ?

— Ne te fous pas de ma gueule, hein ! » crie-t-il en se levant pour se diriger vers la glace. Il frotte une tache imaginaire sur son menton et se détourne.

« Laisse tomber, je lâche soudain.

— Je suis trop jeune, dit-il. Trop jeune.

— Je ne me souviens même pas où je t'ai rencontré la première fois, je déclare calmement en le regardant.

— Quoi ? grommelle-t-il, stupéfait. Et tu voudrais que moi je m'en souvienne ? »

Il laisse tomber le drap, et, tout nu, va se rasseoir sur le W.-C., et avale une lampée au goulot de ma bouteille de vin blanc. Je remarque une cicatrice sur l'intérieur de sa cuisse et tends la main pour la toucher. Il recule, tire une bouffée. Ma main reste immobile, comme suspendue en l'air, et je la ramène, embarrassée.

« Est-ce qu'un type bien comme toi se moquerait si je lui demandais à quoi il pense ?

— J'ai... » Il s'interrompt. « J'ai pensé toute la journée à quel point ça a été terrible de perdre ma virginité, dit-il, j'y ai pensé toute la journée.

— C'est souvent le cas quand on la perd avec un chauffeur de poids lourd. » Je m'arrête, me haïssant d'avoir fait cette remarque. « C'était stupide, excuse-moi. » J'ai envie de le toucher encore, mais me contente de reprendre du chardonnay.

« Mais en quoi es-tu si parfaite ? » Ses yeux se rétrécissent, ses mâchoires se contractent.

Il se lève, se penche pour ramasser le drap et repart dans la chambre. Je sors de la baignoire, me sèche, et, un peu ivre, j'entre toute nue dans la chambre, tenant à la main la bouteille de vin et mon verre, et je me mets sous le drap avec lui. Il zappe sans arrêt. Je ne sais pas pourquoi il est là, où nous nous sommes connus, et pourtant il est là, allongé près de moi, nu, regardant vaguement des clips.

« Ton mari est-il au courant de tout ça ? demande-t-il sur un ton faussement amusé. Il m'a dit que le divorce n'était pas définitivement prononcé. Il a dit qu'il n'était pas encore ton ex. »

Je ne bouge pas, ne réponds rien. Pendant un long moment, je ne vois plus ni Danny ni rien dans la chambre.

« Alors ? »

J'ai envie d'un autre verre, mais me force à attendre quelques minutes. Un nouveau clip. Danny chantonne en le regardant. Je me rappelle soudain un jour où j'étais assise dans une voiture dans le parking de la Galleria, et que William me tenait la main.

« Est-ce que c'est important ? » dis-je une fois le clip terminé.

Je ferme les yeux, imaginant que je suis ailleurs. Je les rouvre quand il fait plus sombre dans la pièce et je regarde Danny qui n'a pas quitté la télé des yeux. Sur l'écran il y a une vue de L.A. le soir. Une traînée rouge zèbre le paysage couleur néon. Le nom d'une station de radio locale apparaît.

« Tu l'aimes bien ? dit Danny.

— Non. Non. » Je sirote du vin, me sentant de plus en plus fatiguée. « Et toi, tu l'aimes bien ?

— Qui ça ? Ton mari ?

— Mais non, dis-je. Biff, Buff, Boff, je ne sais plus.

— Quoi ?

— Est-ce que tu l'aimes bien ? je répète. Plus que moi ? »

Il ne dit rien.

« Ne réponds pas tout de suite. » Je pourrais dire

cela avec plus de force, mais je me retiens. « Si tu peux.

— Ne me demande pas ça, dit-il, les yeux gris-bleu, vides, à demi clos. Ne me demande pas ça. Ne recommence pas.

— C'est tellement caricatural, je commente en rigolant ouvertement.

— Qu'est-ce que Tarzan a dit quand il a vu les éléphants arriver sur la colline ? questionne-t-il en bâillant.

— Quoi ? » Je rigole toujours, les yeux mi-clos. « Voilà les éléphants sur la colline.

— Je crois que j'ai déjà entendu ça quelque part, dis-je en m'imaginant sans les regarder les longs doigts bruns de Danny, et, ce qui m'attire moins, ses lèvres épaisses, peu souriantes.

— Qu'est-ce que Tarzan a dit quand il a vu les éléphants arriver sur la colline avec des imperméables sur le dos ? » continue-t-il.

Je termine le vin, pose le verre sur la table de nuit, près de la bouteille vide. « Quoi ?

— Voilà les éléphants avec leurs imperméables sur la colline. » Il attend ma réponse.

« Il a... quoi ?

— Qu'est-ce que Tarzan a dit quand il a vu les éléphants arriver sur la colline avec des lunettes de soleil ?

— Je ne crois pas que j'aie vraiment envie de le savoir, Danny, je murmure, la langue épaisse, les yeux fermés, l'esprit embrumé.

— Rien, dit Danny d'une voix sans vie. Rien du tout. Il ne les a pas reconnus.

— Pourquoi est-ce que tu me racontes ça ?

— Je ne sais pas. » Silence. « Pour m'amuser, sans doute.

— Quoi ? Qu'est-ce que tu as dit ?

— Pour m'amuser peut-être. »

Je m'endors près de lui quelques instants et me réveille très vite, les yeux toujours fermés. La respiration très calme, je sens deux doigts bien secs qui remontent ma jambe. Je reste immobile, les yeux fermés, et il me touche, gentiment, puis s'installe sur moi, et je reste toujours immobile, mais je finis par ouvrir les yeux parce que je respire trop vite. Aussitôt, il s'écarte. Lorsque je m'éveille au milieu de la nuit, il a disparu. Son briquet, qui ressemble à un petit revolver doré, est sur la table de nuit près de la bouteille et du verre vide et je me souviens que, lorsqu'il me l'a montré la première fois, je pensais vraiment qu'il allait tirer, et, voyant qu'il ne le faisait pas, j'ai senti que ma vie serait décevante, et j'ai regardé ses yeux, qui ôtaient toute importance aux choses, telles des piscines, des flaques d'eau, incapables du moindre souvenir, et je me suis plongée dans ce regard jusqu'à ce que je m'y sente bien.

De la musique venant d'en bas me réveille à onze heures. Je passe en vitesse une robe de chambre et descends, mais ce n'est que la bonne qui lave les vitres en écoutant Culture Club. Je lui dis merci et regarde par la fenêtre qu'elle nettoie, et je remarque que les deux jeunes enfants de la bonne sont en train de nager dans la partie peu profonde du petit bassin de la piscine. Je m'habille et attends le retour de Danny. Je sors regarder fixement l'endroit où sa voiture était garée, puis je cherche des signes de la présence du jardinier qui, sans que je sache pourquoi, ne s'est pas montré depuis trois semaines.

Je déjeune avec Liz à Beverly Hills ; nous demandons de l'eau et j'aperçois William, qui se tient au bar, vêtu d'une veste en lin beige, d'un pantalon blanc à revers, et portant des lunettes de soleil très chères. Il s'approche de nous. Je m'excuse et me lève pour me diriger vers les toilettes. Il m'y suit, et je reste à l'extérieur devant la porte, et lui demande ce qu'il fait là, et il me répond qu'il vient ici très souvent pour déjeuner, et je dis que c'est une coïncidence trop étrange pour être vraie, et il dit, il reconnaît, que peut-être il a parlé à Liz et qu'il se peut bien qu'elle ait mentionné qu'elle déjeunait aujourd'hui avec moi au Bistro Gardens. Je lui dis que je n'ai pas envie de le voir, que notre séparation a été, judicieuse ou non, son idée à lui, que c'est lui qui a fait la connaissance de Linda. Il répond à mes accusations en disant qu'il veut seulement me parler, il me prend la main et la serre, mais je recule et repars m'asseoir à la table. Il me suit et s'accroupit près de ma chaise, après m'avoir demandé trois fois de venir discuter chez lui ; voyant que je ne réponds pas, il part et Liz se confond en excuses et soudain, inexplicablement, j'ai si faim que je commande deux hors-d'œuvre, une immense salade, une tarte à l'orange amère, et j'avale le tout très vite, avec voracité.

Après le déjeuner, je marche sans but sur Rodeo Drive, j'entre chez Gucci où je manque acheter un portefeuille pour Danny, je ressors du magasin et je m'appuie sur une des colonnes dorées de la façade, en pleine chaleur, un hélico traverse le ciel, une Mercedes klaxonne contre une autre Mercedes, je me souviens qu'on est jeudi et que c'est le jour où je présente l'édition de onze heures, je me protège les yeux du soleil, j'entre dans le mauvais parking, et je ne trouve le bon qu'après avoir marché encore un bloc.

Je quitte la chaîne après le flash d'information de cinq heures, et je dis à Jerry que je serai de retour vers vingt-deux heures trente pour le journal de vingt-trois heures et que Cliff peut faire les pubs à ma place. Je m'installe dans ma voiture, sors du parking de la chaîne et me retrouve sans savoir pourquoi sur la route de l'aéroport de Los Angeles. Je m'y gare, vais jusqu'au terminal d'American Airlines, m'installe à une table de la cafétéria, près d'une fenêtre, je commande un café et regarde les avions décoller, en jetant de temps en temps un coup d'œil sur un numéro du *L.A. Weekly*, que j'ai pris dans ma voiture, puis je me prépare un peu de la cocaïne que Simon m'a donnée cet après-midi, ça me donne la diarrhée, et je cours partout dans l'aérogare en espérant que quelqu'un va me suivre, je fais l'aller et retour du terminal sans arrêt, regardant derrière moi avec espoir, puis je quitte le terminal d'American Airlines, me dirige vers le parking, m'approche de ma voiture, reconnaissable à ses vitres noires et ses deux moignons en guise d'essuie-glaces, et j'ai l'impression que quelqu'un m'y attend, accroupi sur le siège arrière, je m'approche encore, regarde attentivement à l'intérieur, et, bien que ce ne soit pas facile de voir, je suis presque sûre qu'il n'y a personne, alors je monte dans la voiture, je sors de l'aéroport et, en passant le long des motels qui s'alignent de Century Boulevard à l'aéroport, j'ai la tentation brève de prendre une chambre, juste pour voir l'impression que ça me fera, pour avoir l'illusion d'être ailleurs, et à la radio les Go-Go's chantent « *Head over heels* », et je vais de l'aéroport jusqu'à West Hollywood et me retrouve devant un cinéma d'art et d'essai de Beverly Boulevard où on passe un vieux film de Robert Altman, je gare ma Jaguar dans une zone interdite, je m'achète un billet, entre dans un tout petit cinéma vide, baigné d'une intense lumière rouge, je m'assieds seule tout en avant, je parcours des pages du *L.A. Weekly*, et le cinéma est parfaitement calme excepté le son d'un vieux disque des Eagles ; quelqu'un allume un joint et l'odeur douce et puissante de la marijuana me distrait du *L.A. Weekly*, qui finit par terre quand, après une publicité pour Dannie's Okie Dog, un stand de hot dogs sur Santa Monica Boulevard, la lumière diminue ; quelqu'un bâille derrière moi, la voix des Eagles s'évanouit, un vieux rideau noir se lève, et, après la fin du film, je reprends ma voiture, mais quand celle-ci cale devant un bar gay sur Santa Monica, je prends la décision de ne pas aller à la chaîne pour le journal de vingt-trois heures, et je tourne sans arrêt la clé de contact, et quand le moteur redémarre, je m'éloigne du bar et dépasse deux jeunes types qui s'insultent à l'entrée d'un immeuble.

Canter's. J'entre dans le vaste restaurant éclairé au néon pour manger quelque chose et m'acheter des cigarettes afin de procurer une occupation à mes doigts, désœuvrés depuis que j'ai abandonné le *L.A. Weekly* sur le sol du cinéma. Je prends un petit box près de la fenêtre, examine attentivement le paquet de Benson & Hedges, regarde par la fenêtre les feux de circulation passer du vert à l'orange et au rouge, je commande un sandwich et un Coca light, et rien ne passe au carrefour, ni voiture, ni personne pendant une bonne vingtaine de minutes. Le sandwich arrive et je le contemple sans aucun désir.

Une bande de punks est installée dans un box en face de moi et ils n'arrêtent pas de parler à voix basse en me regardant. Une des filles, qui porte une vieille robe noire, avec des cheveux teints en rouge, très courts et fourchus, n'arrête pas d'embrasser le garçon qui est près d'elle et de lui parler à l'oreille et le garçon, qui a environ dix-huit ans, qui est grand et effroyablement maigre, qui est habillé de noir et arbore une crête blonde, se lève et se dirige vers moi. Les punks se taisent soudain et observent le garçon.

« Euh... est-ce que vous ne présentez pas le journal télé ou un truc comme ça ? dit-il d'une voix étonnamment haut perchée.

— Si.

— Vous êtes Cheryl Laine, non ?

— Oui. » Je le regarde, essayant de sourire. « Je voulais allumer une cigarette, mais je n'ai pas d'allumettes. »

Le garçon me regarde, momentanément désarçonné par ma dernière remarque, mais il se reprend et dit : « Moi non plus, j'en ai pas, mais est-ce que je peux vous demander un autographe ? » Il me regarde d'un air haineux, et continue : « Je suis votre plus grand admirateur. » Il me tend une serviette en papier et ajoute : « Vous êtes ma présentatrice favorite. »

Les punks se marrent carrément. La fille aux cheveux rouges fourchus met ses toutes petites mains devant son visage pâle et tape des pieds de rire.

« Bien sûr, dis-je, me sentant humiliée. Est-ce que vous avez un stylo ? »

Il se retourne et crie : « Hé, David, t'as pas un stylo ? »

David hoche la tête, les yeux fermés, le visage contorsionné de rire.

« Je crois que j'en ai un », dis-je en ouvrant mon sac, et il me tend la serviette en papier. « Qu'est-ce que vous voulez que je mette ? »

Il me regarde d'un air abruti, puis se tourne vers les autres, il se met à rire, hausse les épaules, et conclut : « J'en sais rien.

— Bon, comment vous appelez-vous ? dis-je en serrant si fort le stylo que j'ai peur qu'il ne se brise en deux. Commençons par là.

— Spaz. » Il gratte sa crête.

« Spaz ?

— Ouais, avec un *s*. »

J'écris : « À Spaz, amitiés. Cheryl Laine. »

« Hé, merci beaucoup, Cheryl », dit Spaz.

Il retourne à la table où les punks rient encore plus fort. Une des filles lui prend la serviette des mains, la regarde et rit franchement en se couvrant la tête des mains et en tapant des pieds. Je place très soigneusement un billet de vingt dollars sur la table, avale un peu de Coca et j'essaie, discrètement, de me lever, pour me diriger vers les toilettes, les punks me criant « Salut, Cheryl ! » en riant très, très fort, et une fois dans les toilettes je m'enferme dans un W.-C., m'appuie sur une porte couverte de graffiti en espagnol et reprends mon souffle. Je déniche le briquet de Danny au fond de mon sac, j'allume une cigarette, mais elle a mauvais goût, je la jette dans les toilettes, retraverse le restaurant presque vide en longeant soigneusement les murs pour éviter la table des punks, et une fois dans ma voiture je me regarde dans le rétroviseur. Je démarre et vais jusqu'à une cabine téléphonique sur Sunset Boulevard. Je me gare en laissant le moteur tourner et la radio à fond, j'appelle mon numéro et j'attends dans la cabine que quelqu'un réponde, et le téléphone n'arrête pas de sonner, je raccroche, repars à la voiture, je cherche une cafétéria ou une station-service avec des toilettes, mais tout paraît fermé, je descends Hollywood Boulevard à la recherche d'un cinéma, n'en trouve pas, et finalement je me retrouve sur Sunset en direction de Brentwood.

Je frappe à la porte de William. La réponse se fait attendre. Il dit : « Qui est là ? » Je ne réponds pas et frappe encore.

« Qui est là ? demande-t-il d'une voix inquiète.

— Moi, Cheryl. »

Il ôte la chaîne de sécurité et m'ouvre. Il porte un maillot de bain et un T-shirt sur lequel le mot CALIFORNIA est écrit en bleu vif, un T-shirt que je lui ai offert l'année dernière, il a des lunettes et ne paraît pas surpris de me trouver là.

« Je me préparais à aller au jacuzzi, déclare-t-il.

— Il faut que j'aille aux toilettes », dis-je tranquillement. Je passe devant lui, traverse la pièce et vais à la salle de bains. Quand je sors, je le vois appuyé sur le bar.

« Tu n'as... tu n'as pas pu trouver de toilettes ? »

Je suis assise sur un fauteuil à bascule en face d'une énorme télé, j'ignore d'abord sa remarque, puis je décide de répondre et dis : « Non.

— Tu veux boire quelque chose ?

— Quelle heure est-il ?

— Onze heures du soir. Qu'est-ce que tu veux boire ?

— N'importe quoi.

— J'ai du jus d'ananas, de mûre, d'orange ou de papaye. »

J'avais pensé qu'il voudrait me proposer de l'alcool, mais je dis : « Ce que tu voudras. »

Il se dirige vers la télé et elle se met soudain en marche, le son réglé au maximum, le journal commence tout juste, et on entend annoncer : « Voici l'équipe Info de la 9e avec Christine Lee en remplacement de Cheryl Laine... », et William revient vers le bar et nous verse à chacun un verre et, Dieu merci, ne me demande pas pourquoi je ne présente pas le journal. Je ferme la télé au premier spot publicitaire.

« Où est Linda ? je lui demande.

— À Palm Springs, dit-il. Elle suit un séminaire. » Un très long silence s'ensuit, et il finit par préciser : « C'est censé être amusant.

— C'est très bien. Vous vous entendez toujours ? »

Il sourit et m'apporte un verre qui sent fortement la goyave. Je le goûte avec précaution. Je repose le verre.

« Elle vient d'achever la nouvelle décoration de l'appartement », dit-il. Il fait un geste de la main et s'installe sur un sofa beige en face de mon fauteuil à bascule. « Mais cet appartement est temporaire. » Silence. Puis : « Elle est toujours chez Universal. Elle va bien. » Il sirote son jus de fruits.

William reste silencieux. Il reprend du jus de fruits, croise ses jambes poilues et bronzées et regarde les palmiers éclairés par les réverbères. Je me lève de mon fauteuil et arpente nerveusement la pièce. Je vais jusqu'à une étagère de bibliothèque et fais semblant de lire les titres des livres rangés sur la large plaque de verre, puis les titres des vidéos alignés en dessous.

« Tu n'as pas l'air très en forme, remarque-t-il. Il y a de l'encre sur ton menton.

« — Je vais très bien. »

Il lui faut encore cinq minutes pour dire : « Peut-être que nous aurions mieux fait de rester ensemble. » Il ôte ses lunettes, se frotte les yeux.

« Oh non ! je m'écrie avec irritation, non, nous n'avons pas eu tort. » Je me retourne. « Je savais que c'était une mauvaise idée de venir ici.

— Ça a été ma faute, qu'est-ce que je peux dire d'autre ? » Il contemple ses lunettes puis ses genoux.

Je vais de l'étagère jusqu'au bar et m'y appuie ; après un autre long silence, il demande : « Est-ce que tu as toujours envie de moi ? »

Je ne réponds pas.

« Tu n'es pas obligée de me répondre, bien sûr, dit-il, l'air à la fois contrit et plein d'espoir.

— Laisse tomber, William. Non. Je n'ai plus envie de toi. » Je me touche le menton, regarde mes doigts.

William regarde son verre, et dit, avant de boire un peu : « Mais tu mens tout le temps...

— Cesse de me téléphoner. C'est pour ça que je suis venue. Pour te dire ça.

— Mais je crois que... que j'ai encore envie de toi.

— Mais moi je... j'ai envie de quelqu'un d'autre.

— Et lui, il te désire ? » dit-il avec une force soudaine dans la voix. Sa remarque me touche au point sensible, et je me tasse sur le tabouret du bar.

« Ne craque pas, dit William. Ne te laisse pas détruire.

— Tout est foutu. »

William quitte le sofa, pose son verre et marche lentement vers moi. Il pose une main sur mon épaule, m'embrasse le cou, touche mes seins, manque de renverser mon verre. Je me dirige vers l'autre extrémité de la pièce, m'essuie le visage.

« C'est surprenant de te voir comme ça, dis-je avec effort.

— Pourquoi ? demande-t-il de l'autre côté de la pièce.

— Parce que tu n'as jamais rien ressenti pour personne.

— C'est faux. Rappelle-toi ce que je ressentais pour toi.

— Tu n'étais jamais là. Tu n'étais jamais là. » Je m'arrête. « Tu n'étais pas vivant.

— J'étais vivant, dit-il faiblement. Vivant.

— Non. Tu sais très bien ce que je veux dire.

— Alors j'étais quoi ?

— Oh, tu étais... » Je m'arrête, regarde l'imposante moquette blanche, la cuisine blanche, les chaises blanches posées sur un sol de dalles brillantes. « Tu n'étais... simplement pas mort.

— Et cette personne... avec qui tu es maintenant est vivante ?

— Je ne sais pas, dis-je en hésitant. Il me fait du bien.

— Il te fait du bien ? C'est quoi ? Une vitamine ? Qu'est-ce que ça veut dire ? Il est bon au lit, ou quoi ? »

Il lève les bras en signe d'interrogation.

« Il peut l'être, je murmure.

— Si tu m'avais rencontré quand j'avais quinze ans...

— Dix-neuf ans, dis-je en l'interrompant.

— Seigneur Jésus ! Dix-neuf ans ! »

Je me dirige vers la porte, interrompant une scène assez familière, et je me retourne une seule fois pour regarder William et je ressens un peu de regret, que je me refuse pourtant à tolérer. Je m'imagine Danny, m'attendant dans la chambre, téléphonant, appelant quelqu'un, un fantôme. De retour chez moi, je vois la télé allumée ainsi que le magnétoscope. Le lit est défait. Dessus un mot est posé à mon intention : « Désolé — À un de ces quatre. Sheldon a appelé. Il a de bonnes nouvelles pour toi. J'ai programmé le magnéto pour enregistrer le journal de onze heures. Désolé ! Au revoir ! P.-S. Biff te trouve d'enfer. » En dessous il y a le numéro de téléphone de Biff. Le sac de vêtements que Danny laissait toujours près du lit a disparu. Je rembobine la cassette et regarde le journal de onze heures.

7

À la découverte du Japon

Nous fonçons en pleine obscurité, je regarde à travers le hublot une vaste toile noire sans étoiles, mets une main sur le hublot qui est si froid que mes doigts s'engourdissent, regarde ensuite ma main, je la retire lentement du hublot et Roger arrive le long du couloir sombre.

« Avance ta montre, dit-il.

— Quoi ?

— Avance ta montre. Il y a un décalage horaire. Nous allons atterrir à Tokyo. » Il me regarde fixement et son sourire se fige. « Tokyo, au Japon. » Pas de réponse et Roger passe sa main dans ses cheveux blonds très courts jusqu'à ce qu'il atteigne sa petite queue de rat. Il soupire.

« Mais je... je ne vois... rien, mec, je lui dis en montrant du doigt la vitre sombre.

— C'est parce que tu as tes lunettes de soleil sur le nez, réplique Roger.

— Non, c'est pas ça, c'est... c'est vrai... » Je cherche le mot juste. « Il fait tout noir là-dedans. Et puis... »

Roger me contemple un instant.

« Eh bien, c'est parce que les vitres aussi sont

teintées, murmure Roger lentement. Les vitres de cet appareil sont teintées, OK ? »

Je ne dis rien.

« Tu veux un Valium, un peu d'amphé, un chewing-gum, autre chose ? »

Je secoue la tête, dis : « Non... je pourrais faire une overdose. »

Roger fait lentement demi-tour et remonte l'allée vers l'avant de l'appareil. Le simple fait de poser mes doigts, encore engourdis de froid, sur mon front me fait fermer les yeux.

Nu, je m'éveille baigné de transpiration dans le grand lit d'une suite au dernier étage de l'hôtel Hilton de Tokyo. Les draps sont froissés et tombés par terre. Une jeune fille nue dort à mon côté, la tête posée sur mon bras qui est tout engourdi, et je suis surpris qu'il me faille un tel effort pour le soulever enfin, tandis que mon coude heurte sans ménagement le visage de la fille. Des bouts de Kleenex que je l'ai forcée à mettre dans la bouche gonflent ses joues et son menton, tout sec, retombe. À l'autre extrémité du lit, loin de la fille, il y a un jeune Japonais, de seize ou dix-sept ans, peut-être plus jeune, tout nu, les bras pendant par-dessus le rebord du lit, le bas de son dos marqué de zébrures rouges toutes fraîches. Je cherche à attraper le téléphone sur la table de nuit, mais il n'y a pas de table de nuit, et le téléphone est sur la moquette, débranché, posé au sommet d'un tas de draps blancs tout humides. Hors d'haleine, je passe par-dessus le garçon, rebranche l'appareil, ce qui me prend pas loin d'un quart d'heure, et demande enfin à la personne qui répond de me passer Roger, mais Roger, me dit-on, est parti à un concours de dégustation de fruits et n'est pas disponible.

« Alors débarrassez-moi de ces deux gamins, je lâche. OK ? »

Je quitte le lit, fais tomber une bouteille de vodka vide contre une bouteille de bourbon qui se renverse sur des paquets de chips entamés et un numéro de *Hustler Orient* dans lequel la fille qui est sur mon lit figure, à poil, ce mois-ci, et je me penche, je l'ouvre, et je me trouve tout bizarre quand je m'aperçois que sa chatte est toute différente sur la photo de ce que j'ai vu de près il y a trois heures, et quand je me retourne pour regarder vers le lit, les yeux du Japonais sont grands ouverts, et il me regarde fixement. Je ne bouge pas, très à l'aise, tout nu, avec une bonne gueule de bois, et je lui renvoie sans broncher son regard fixe.

« Tu regrettes ? » je lui demande, soulagé, quand deux barbus ouvrent la porte et s'approchent du lit ; j'entre dans la salle de bains et m'y enferme. J'ouvre à fond les robinets, pour que le bruit de l'eau qui heurte la vaste baignoire ronde couvre celui que font les deux *roadies* en tirant le garçon, puis la fille, du lit vers la porte de la chambre. Alors je me penche vers la baignoire et je ne laisse plus couler que de l'eau bien froide. Je me dirige vers la porte, y colle mon oreille, et, désormais certain qu'il n'y a plus personne dans la chambre, j'ouvre la porte, regarde précautionneusement à l'intérieur de la pièce. Vide. D'un petit frigo, je sors un seau à glace en plastique et me dirige vers la machine à glaçons que j'ai fait installer au milieu de la chambre, et remplis le récipient. En revenant vers la salle de bains, je m'agenouille près du lit, ouvre un tiroir, y prends une boîte de Librium, reviens dans la salle de bains, referme la porte à clé, et verse le contenu de mon seau à glace dans la baignoire, en laissant assez d'eau au fond du petit seau pour avaler le Librium. J'entre dans la baignoire, m'allonge, ma tête seule dépassant hors de l'eau, et je suis un peu inquiet à la pensée que l'eau glacée et le Librium ne font peut-être pas le meilleur des mélanges.

Dans mon rêve, je suis assis dans le restaurant situé au sommet de l'hôtel près d'une immense paroi vitrée et je regarde fixement ce tapis de néon qu'on appelle une ville. Je bois un Kamikaze et devant moi est assise la jeune Japonaise du *Hustler*, mais son visage régulier est couvert d'un maquillage de geisha et sa robe rose fluo, très serrée, l'expression qui marque ses traits plats et doux, son regard vague et ses yeux vides, tout cela me fait l'impression qu'elle est une prédatrice, et me met mal à l'aise, et soudain tous les néons vacillent et s'éteignent, des sirènes hurlent, et des gens que je n'avais pas remarqués sortent en courant du restaurant, crient, et des hurlements se font entendre de la grande ville en bas, et des grands arcs de flammes orange, jaunes, découpés sur un ciel sombre, se forment brusquement à partir de certains points du sol, et je regarde toujours la geisha, les arcs de flamme se reflétant dans ses yeux noirs, et elle me murmure quelque chose, mais il n'y a pas de crainte dans ses grands yeux fendus, parce qu'elle sourit chaleureusement, répétant sans trêve le même mot, mais les cris, les explosions, couvrent le son de sa voix, et lorsque je crie, pris de panique, lui demande de s'expliquer mieux, elle se contente de sourire, de cligner de l'œil, elle prend un papier pour s'en faire un éventail, et ses lèvres ne cessent de remuer, formant le même son, et je me penche vers elle, mais une énorme griffe brise le panneau vitré, faisant tomber sur nous une pluie de verre brisé, et la griffe s'empare de moi, et elle est chaude, on la sent trembler d'une colère furieuse, et elle est couverte d'une écume qui mouille le complet que je porte, et la griffe me tire à l'extérieur et je me tortille en direction de la fille qui répète le même mot, cette fois plus clairement.

« Godzilla... Godzilla, espèce d'idiot, j'ai dit Godzilla. »

Hurlant silencieusement en moi-même, je suis soulevé vers la bouche, quatre-vingts, quatre-vingt-dix étages plus haut, et je regarde ce qui reste de l'immense mur de verre, un vent noir et glacé soufflant furieusement autour de moi, et la Japonaise, à la robe rose, est maintenant debout sur la table, souriante, et elle agite son éventail vers moi en criant « Sayonara », mais ça ne veut pas dire au revoir.

Un peu plus tard, après m'être extrait de la baignoire, nu et sanglotant, après que Roger m'a appelé sur le téléphone intérieur et m'a appris que mon père a téléphoné sept fois depuis deux heures (pour quelque chose d'urgent), après que j'ai dit à Roger de dire à mon père, s'il appelle encore, que je dors ou que je suis sorti ou ce qu'il voudra, ou parti dans un autre pays, après que j'ai brisé trois bouteilles de champagne contre le mur de la chambre, je suis finalement capable de m'asseoir sur une chaise que j'ai tirée près de la vitre et de regarder Tokyo. J'ai une guitare sur les genoux, j'essaie d'écrire une chanson parce que, depuis quelques semaines, une succession de notes et d'accords se sont répétés dans ma tête, mais j'ai du mal à trier tout ça, puis je joue des chansons que j'ai écrites quand j'étais dans le groupe, et je regarde le verre cassé sur le sol autour du lit, pensant : Ça ferait une sacrée bonne couverture d'album. Puis je ramasse un paquet de M&M à moitié vide et je les avale avec de la vodka, et ça me rend malade et je file vers la salle de bains, mais je me prends les pieds dans le fil du téléphone, et ma main heurte un gros morceau de la bouteille de champagne cassée et je regarde longtemps, sans bouger, un petit filet de sang qui coule sur mon poignet. Ne parvenant pas à faire tomber le morceau de verre en secouant mon bras, je l'extrais et le trou sur ma main apparaît, doux et beau, et je prends le bout de verre brisé sur lequel adhère encore un morceau de l'étiquette du Dom Pérignon, et je cache la blessure en remettant le morceau de verre exactement où il était, mais le verre retombe et du sang coule sur ma guitare et cette guitare ensanglantée devrait faire elle aussi une belle couverture d'album, et j'arrive à allumer une cigarette, le sang ne la souillant pas trop. Un peu plus de Librium et me voilà endormi, mais le lit se met à vibrer et le tremblement de terre entre dans mon rêve et un nouveau monstre s'approche.

Aux alentours de midi, me semble-t-il, le téléphone sonne.

« Ouais ? je prononce, les yeux à moitié ouverts.

— C'est moi, dit Roger.

— Je dors, Lucifer.

— Allez, lève-toi. Tu as un déjeuner aujourd'hui.

— Avec qui ?

— Quelqu'un, répond Roger, manifestement irrité. Allez, au boulot.

— J'ai besoin d'un truc », je dis en ouvrant les

yeux, et, en voyant les draps, la guitare sur les draps couverts de sang séché, en certains endroits si épais que ça me fait ouvrir la bouche, je répète : « J'ai besoin d'un truc, mec.

— Quoi ? T'as la tête comme une citrouille ? Ou quoi ?

— Non, il me faut un docteur

— Pourquoi ? soupire Roger.

— Je me suis coupé la main.

— Vraiment ? » Roger a une voix lasse.

« Ça a saigné... euh... pas mal.

— Oh, j'en doute pas. Comment c'est arrivé ? En d'autres termes, est-ce que tu t'es fait aider ?

— Non. En me rasant... Et puis qu'est-ce que ça peut foutre ? Appelle-moi un médecin. »

Après un silence, Roger dit : « Mais si ça ne saigne plus, pourquoi faire ?

— Mais parce que ça a énormément saigné, mec.

— Mais est-ce que ça te fait encore mal ? Tu sens encore la douleur ? »

Un long silence, puis : « Non... euh... pas vraiment. » J'attends encore et dis : « Enfin, un peu.

— Je t'appelle un médecin. Seigneur !

— Et une femme de chambre. Un aspirateur... Il me faut un aspirateur, mon vieux.

— Tu t'aspires très bien tout seul, Bryan », dit Roger. J'entends un rire étouffé dans le téléphone, que Roger fait taire en sifflant, puis il dit « Ton père n'arrête pas d'appeler. » Je l'entends allumer une cigarette. « Pour ce qu'on en a à foutre.

— Mes doigts, Roger, je ne peux plus les bouger.

— Tu m'as entendu ? Mais qu'est-ce que tu as ?

— Qu'est-ce qu'il voulait ? C'est la question que je dois te poser, c'est ça ? » Je soupire. « Comment pouvait-il savoir où j'étais ?

— Je sais pas. Il y a une urgence. Ta mère est à

l'hôpital, peut-être. Je ne suis pas sûr. Comment tu veux que je sache ? »

J'essaie de m'asseoir, et d'allumer une cigarette de la main gauche. Lorsque Roger comprend que je ne dirai rien de plus, il déclare : « Je te donne trois heures pour être présentable. Ça ira ? J'ose espérer que ça suffira, OK ?

— Ouais.

— Et tâche de porter des manches longues ! prévient Roger.

— Quoi ? je demande, confus.

— Des manches longues ! Des manches longues, tu piges ? » Je regarde mes bras. « Et pourquoi des manches longues ?

— Je te laisse le choix : a) Parce que ça te va mieux. b) parce que tu as des trous plein les bras. c) Parce que tu as des trous plein les bras. d) Parce que tu as des trous plein les bras. »

Long silence. Je finis par dire : « c) ?

— Bien », dit Roger en raccrochant.

Le producteur de Warner Bros qui se trouve à Tokyo pour rencontrer des dirigeants de Sony a trente ans, il est presque chauve, son visage ressemble à un masque mortuaire, il porte un kimono sur des chaussures de tennis, il arpente lentement sa suite en tirant sur son joint, et tout ça est tellement bidon que ça m'écœure, et Roger parcourt *Billboard*, assis sur un immense lit défait, et le producteur n'arrête pas de téléphoner, et chaque fois qu'on le fait attendre une seconde au téléphone, il pointe un doigt vers Roger et dit, plus ou moins : « Cette petite queue est vraiment chouette », et Roger, heureux que le producteur ait remarqué sa petite mèche de cheveux, hoche la tête d'un air satisfait, se retourne et montre son machin.

« Comme celle d'Adam Ant ? dit le producteur.

— Exactement, acquiesce Roger, qui devrait être vexé, et reprend son numéro de *Billboard*.

— Servez-vous donc de saké. »

Roger me conduit par la main jusqu'au balcon, où deux Japonaises, de quatorze ou quinze ans, sont assises à une table surchargée d'assiettes de sushis et d'espèces de crêpes.

« Super ! je m'exclame. Des crêpes.

— S'il te plaît, me coupe Roger, tu n'as rien de plus intéressant à dire.

— Pourquoi tu ne me laisses pas tranquille ? je pleure.

— En y réfléchissant bien, lance Roger, l'air furieux et renfrogné, il vaut peut-être mieux que tu ne dises rien. »

Une des Japonaises porte un dessous en satin rose, pas de soutien-gorge, et c'est la fille avec qui j'ai passé la soirée d'hier, et l'autre, vêtue d'un T-shirt POLICE, écoute son Walkman, le regard morne. Le producteur se dirige vers la porte vitrée et demande maintenant à Manuel d'apporter quelques petits fours salés, mais sans cornichons, et ça sonne vraiment faux. Il fait claquer ses doigts en s'asseyant avec un air douloureux, pour intimer à la fille en satin rose l'ordre de se rhabiller. La fille, qui a un cœur en acier, se lève, entre lentement dans la chambre, allume la télé et se laisse tomber sur la moquette avec un bruit sourd.

Le producteur s'assied près de la fille au Walkman, soupire, tire sur son joint. Il en propose à Roger, qui fait non de la tête, puis à moi, Roger fait non de la tête pour moi.

« Du saké ? propose le producteur. Il est glacé.

— Très bien, dit Roger.

— Bryan ? » dit le producteur.

Roger fait à nouveau non de la tête.

« Vous avez senti le tremblement de terre ? » demande le producteur en versant le saké directement de la bouteille dans des flûtes à champagne.

« Ouais, déclare Roger en allumant une cigarette. C'était vraiment terrifiant. » Puis, me regardant : « Enfin, pas tellement.

— Méfiez-vous de ces enculés de Japs, dit le producteur. J'espère que le tremblement de terre en a liquidé quelques-uns.

— Personne ne leur fait confiance, qu'est-ce que vous croyez ? répond Roger en hochant la tête d'un ton las.

— Ils sont en train de construire un océan artificiel, dit le producteur. Et même plusieurs. »

Je remets en place mes lunettes de soleil et regarde mes mains, ce qui incite le producteur à parler affaires.

Il commence sur un ton grave. « Une idée de film. C'est en fait une idée qui a déjà été à moitié réalisée. Elle est, comment dire, cachée dans un coffre gardé par quelques-uns des hommes les plus dangereux de la Warner. » Silence. « Vous sentez bien qu'il s'agit d'un truc qui vaut des milliards. » Silence. « La raison pour laquelle nous avons pensé à vous, Bryan, c'est que beaucoup de gens se souviennent du film sur le groupe. C'était vraiment puissant ! » Sa voix se fait haut perchée, se perd, et il scrute mon visage à la recherche d'une réaction, ce qui n'est pas une mince affaire.

« Je veux dire, Seigneur ! vous quatre, Sam, Matt et... » Il s'arrête, fait claquer ses doigts, cherche l'aide de Roger.

« Et Ed..., complète Roger. Il s'appelait Ed. En

fait, au début du groupe, il s'appelait Tabasco. On a changé son nom.

— Ed, oui, dit le producteur en s'interrompant avec un air tellement hypocrite que ça me donne presque envie de pleurer. Oui, une vraie tragédie. C'est vraiment triste. Insupportable. » Roger soupire, hoche la tête. « Ils étaient déjà séparés à cette époque. »

Le producteur aspire une énorme bouffée du joint et, tout en inhalant, il parvient à dire : « Vous avez vraiment été des pionniers, quel dommage que vous vous soyez séparés... Voulez-vous des crêpes ? »

Roger sirote délicatement son saké, répond : « C'est dommage », me regarde et ajoute : « D'accord ?

— Si, Señor.

— Le film était vraiment bon, et rentable, sans que personne se sente exploité, nous avons pensé que... euh... avec votre présence... » Il regarde Roger pour chercher de l'aide, bégaie. « Vous seriez intéressé et peut-être même excité à l'idée d'être la vedette d'un film.

— Si vous saviez combien de scripts on nous propose, soupire Roger. Bryan a refusé *Amadeus*, alors c'est vous dire !

— Le film, fondamentalement, tourne autour de l'idée d'une rock star dans l'espace. Un alien, un E.T., sabote le... »

Je saisis Roger par le bras.

« E.T. Un extraterrestre », dit Roger d'une voix douce.

Je lui lâche le bras. Le producteur reprend :

« L'extraterrestre sabote la limousine de la star après un grand concert au Forum, et, après une poursuite fantastique, l'emmène vers cette planète où il est retenu en captivité. Enfin, pas dans de mauvaises conditions, car il y a une princesse, en gros l'élément sexy du film. » Le producteur s'interrompt, regarde Roger d'un air plein d'espoir. « Nous avons pensé à Pat Benatar, à l'une des Go-Go's... »

Roger rit. « C'est absolument formidable.

— La seule façon pour le captif de se faire libérer est d'enregistrer des chansons et de faire un spectacle pour l'empereur de la planète qui, en fait, est une... une tomate. » Le producteur fait une grimace, hausse les épaules et regarde Roger d'un air inquiet.

Roger se gratte le nez et s'exclame : « Alors c'est ça le truc, hein ?

— C'est loin d'être nul, et vous avez déjà un exemplaire du scénario. Et tout le monde à la Warner est excité à mort par cette histoire qui attend dans un coffre. »

Roger sourit, approuve d'un signe de tête, regarde la Japonaise, tire la langue, cligne les yeux. Il dit au producteur : « Ça tient la route. »

Je me souviens bien de ce film qui a été tourné sur le groupe, et tout était à peu près exact, mais les gens qui l'ont fait ont oublié d'inclure les enfants semés à droite et à gauche, le jour où j'ai cassé le bras de Kenny, le liquide clair contenu dans une seringue, Matt pleurant des heures entières, le regard des fans, les « vitamines », la tête de Nina quand elle a exigé une nouvelle Porsche, la réaction de Sam quand je lui ai dit que Roger voulait que je fasse un disque en solo, bref, tout ce que les producteurs préféraient ne pas savoir. Ils ont aussi coupé la scène où, en rentrant à la maison, j'ai trouvé Nina assise dans la chambre donnant sur la plage, une paire de ciseaux à la main, et ils ont coupé celle du lit hydraulique transpercé et fuyant. Le réalisateur a également situé au mauvais moment la scène où Nina a essayé de se noyer un soir à Malibu lors d'une fête, et ils ont sucré la séquence suivante où on lui aspirait le contenu de l'estomac et celle d'après aussi, où elle se penchait vers moi en criant : « Je te déteste », et détournait de moi son visage, pâle, enflé, ses cheveux encore mouillés et collés sur ses joues. Le film était déjà terminé quand Ed s'est jeté dans le vide du haut de l'hôtel Clift à San Francisco, aussi les auteurs du film ne peuvent pas être blâmés pour n'avoir pas inclus cette scène, mais pour le reste ils n'avaient aucune excuse, ni pour le fait que le film véhiculait un tas de vieilleries, un tas de faits sans intérêt, qui sont devenus immensément populaires.

Une lampe verte accrochée au plafond du balcon me ramène dans la discussion. Pourcentages, approbation du script, profit brut, profit net, des mots que, aujourd'hui encore, je trouve curieusement étrangers, et je regarde fixement la flûte de saké de Roger et la Japonaise qui, à l'intérieur, se contorsionne, tape du pied par terre, sanglote, tourne en rond, et le producteur qui se lève, sans cesser de parler à Roger pour fermer la porte et sourit lorsque je dis : « Eh bien, je vous remercie. »

J'appelle Matt. Il faut à l'opérateur de l'hôtel sept bonnes minutes pour établir la liaison. La quatrième femme de Matt, Ursula, répond et pousse un grand soupir quand je lui dis mon nom. J'attends pendant cinq minutes qu'elle revienne au téléphone, et je m'imagine Matt debout près d'elle dans la cuisine

d'une maison de Woodland Hills, la tête baissée.
Mais je me suis trompé : Ursula dit : « Le voilà »,
et j'entends la voix de Matt. « Bryan ?

— Eh ouais, c'est moi. »

Matt siffle. « Eh bien ! » Long silence. « Tu es
où ?

— Au Japon. Tokyo, je crois.

— Ça fait deux... trois ans ?

— Non, pas si longtemps. Je ne sais pas.

— Alors, j'ai entendu dire que tu... faisais une
tournée ?

— Le World Tour 84.

— J'ai entendu parler de ça... » Sa voix faiblit.

Long silence embarrassé, interrompu seulement
par des « ouais » et des « hum ».

« J'ai vu la vidéo, dit-il.

— Celle avec Rebecca de Mornay ?

— Non... euh... celle avec le singe.

— Ah... ouais.

— J'ai écouté l'album, ajoute-t-il enfin.

— Et tu l'as aimé, mec... ?

— Tu te fous de ma gueule ou quoi ?

— Ça veut dire que oui ?

— Grande puissance. Très solide. »

Un nouveau silence, très long.

« C'est... euh... valable, dit Matt. Celle sur la
bagnole... J'ai vu John Travolta en acheter un exemplaire chez Tower Records. » Long silence.

« Je suis... euh... honoré de ta réponse. OK ? »

Grand silence.

« Et toi, tu fais quoi en ce moment ?

— Des bricoles, dit Matt. Ça pourrait être bon
pour le studio dans quelques mois.

— Fan-tas-ti-que !

— Ouais.

— Et tu as parlé à... Sam ?

— Oh, il y a environ... environ un mois. Un des avocats ? Je suis tombé sur lui par hasard. Par accident.

— Sam... va bien ? »

D'une voix incertaine, Matt dit : « Ouais, super.

— Et... ses avocats ? »

En guise de réponse, il demande : « Comment va Roger ?

— Roger ne change pas.

— Et il est sorti de sa cure de désintox ?

— Il y a déjà longtemps.

— Ouais, je vois ce que tu veux dire. Je vois.

— Alors, voilà, je dis en inspirant un grand coup. Je me demande si tu... si tu n'aurais pas envie de me retrouver quelque part et qu'on écrive ensemble quelques chansons quand j'aurai fini cette tournée, et peut-être enregistrer un truc ensemble, qu'est-ce que tu en penses ? »

Matt tousse, et, assez vite, il répond : « Oh, mec, j'en sais rien, et tu vois le passé est le passé, et je ne pense pas, non.

— Mais, merde, c'est pas..., je m'interromps au milieu de ma phrase.

— Il faut tourner la page.

— C'est ce que je fais, tu vois, c'est ce que je fais, mais... » Je commence à taper du pied sur le mur, et mes ongles se sont enfoncés si profondément dans le pansement autour de ma main qu'il se tache de rouge.

« C'est fini, tu vois, reprend Matt.

— J'ai pas dit le contraire. »

Je ne dis rien, je souffle seulement sur la paume de ma main.

« J'ai regardé l'autre jour certains de ces vieux bouts de films que Nina et Dawn ont tournés à Monterey », continue Matt.

J'essaie de ne pas écouter, et je pense : *Dawn ?*

« Et le plus curieux, mais aussi le plus con, c'est que, sur ces films, Ed avait vraiment l'air très bien. Super, même. Bronzé, en forme, tu vois. Je sais pas ce qui s'est passé. » Pause. « Je sais vraiment pas ce qui s'est passé.

— De toute façon, on s'en fout.

— Ouais, soupire Matt. T'as raison, là.

— Parce que moi je m'en fous.

— Je crois que moi aussi, mec. »

Je raccroche et m'endors instantanément.

En route vers le stade, je suis assis au fond de la limousine, je regarde la télé, du sumo, un vieux film, peut-être un Bruce Lee, sept fois le même film publicitaire pour une limonade bleue, je jette les glaçons que j'ai sucés sur l'écran de la télé, je descends la vitre qui me sépare du chauffeur et je dis à celui-ci qu'il me faut des cigarettes, plein, et le chauffeur attrape un paquet de Marlboro au fond de la boîte à gants, me le lance, et la cocaïne que j'ai prise avant ne me fait pas beaucoup d'effet, ce à quoi je m'attendais, et même elle paraît aviver la douleur que je ressens à la main, et j'en avale sans cesse, mais des petits résidus s'accrochent au fond de ma gorge d'une manière qui m'inquiète, alors je bois du scotch qui arrive presque à en faire disparaître le goût.

La scène dégouline de sueur, il fait au moins trente degrés, je joue depuis cinquante minutes et je ne demande qu'une seule chose, chanter la dernière chanson, ce que l'orchestre, quand je le leur dis entre deux morceaux, juge une très mauvaise idée.

Toutes les chansons que je chante ce soir sont extraites de mes trois derniers CD en solo, mais j'entends très clairement, dans les premiers rangs, des Japonais qui scandent les titres des grands succès du groupe, et quand mon orchestre attaque le plus gros succès de mon second album solo, je ne peux même pas dire s'il plaît au public, même au milieu des applaudissements nourris ; derrière nous, une immense banderole de près de cent mètres de long dit « BRYAN METRO. WORLD TOUR 1984 », et je me déplace lentement sur la vaste scène, tentant de voir mieux le public, mais d'énormes projecteurs transforment le stade en une sorte de masse d'obscurité grise et mouvante, et au moment où j'entame le deuxième couplet de la chanson, je ne retrouve plus les paroles. Je chante « *Another night passes by and still you wonder what happened*[1] », et puis je reste figé. Un guitariste relève brusquement la tête, un bassiste s'approche de moi, le batteur continue à jouer. Je ne joue même plus de ma guitare. Je recommence les premières paroles... « *Another night passes by and still you wonder what happened* »... et puis rien ne vient. Le bassiste me hurle quelque chose. Je tourne la tête dans sa direction, mes mains me font atrocement souffrir, et le bassiste crie : « *You give the world one more try*[2] », et je réponds : « Quoi ? » et il crie encore : « *You give the world one more try.* Merde ! » et je me dis pourquoi bon sang est-ce que je devrais chanter ça et quel est le con qui a bien pu écrire un texte si merdique, et je fais signe à l'orchestre de passer au refrain, et nous terminons cette chanson, mais il n'y a pas de rappels.

1. Encore une nuit et tu ne sais toujours pas ce qui s'est passé.
2. Tu donnes au monde une nouvelle chance.

Roger monte avec moi dans la limousine pour rentrer à l'hôtel. « Super spectacle, Bryan. » Il soupire. « Ta concentration et ton professionnalisme sont imbattables. Sans mentir. Je ne trouve pas les mots.

— Mes mains sont... mes mains sont foutues.

— Les mains seulement ? » s'étonne-t-il, sans même prendre un ton sarcastique ni critique, mais comme s'il faisait une simple remarque. « Nous dirons seulement aux promoteurs du spectacle que tu as eu un problème de synthétiseur. Et nous raconterons aux canards que ta mère vient de mourir. »

Nous traversons une rue encombrée, parallèle à celle de l'hôtel, et les passants s'évertuent à essayer de regarder à travers les vitres noires de la limousine qui s'approche du Hilton.

« Seigneur ! je dis à voix haute. Mais regarde-moi tous ces macaques de Japs, regarde-les, Roger. Sales macaques !

— Ces macaques de Japs ont tous acheté ton dernier CD », dit Roger, et il ajoute, entre ses dents : « Espèce de connard écervelé ! »

Je soupire, mets mes lunettes noires. « J'aimerais bien sortir de cette limousine et dire à ces macaques ce que je pense d'eux.

— Tu aimerais bien, mais il n'en est pas question.

— Et pourquoi ?

— Parce que tu n'es pas en état de prendre un bain de foule !

— Tu as pensé à tous les mots qui riment avec mon nom, Roger ?

— Est-ce qu'il y en a beaucoup ? » Roger demande.

146

Roger et moi sommes dans l'ascenseur.

« Fais-moi venir une femme de chambre, OK ? je lance. Ma chambre est un vrai bordel, mec.

— Nettoie-le toi-même.

— Non.

— Alors je vais te faire donner une autre suite, OK ?

— OK.

— Tu as déjà tout l'étage, espèce de cadavre ambulant. Choisis la chambre que tu voudras.

— Pourquoi est-ce que je peux pas avoir une femme de chambre ?

— Parce que la direction de l'hôtel pense que tu as déjà violé deux femmes de chambre. C'est vrai ou pas, Bryan ?

— Explique-moi un peu mieux ce que veut dire violer, Roger.

— Je te ferai envoyer un dictionnaire par le service d'étage. » Il fait une gueule épouvantable.

« Je vais changer de chambre. »

Il soupire, me regarde et dit : « Tu commences déjà à te dire que tu ne vas pas changer de chambre, non ? Tu as envisagé l'idée, mais tu te dis finalement que l'effort n'en vaut pas la peine, que tu n'en as pas la force, non ? » Roger se détourne quand l'ascenseur arrive à son étage. Il tourne une clé spéciale pour envoyer l'ascenseur à mon étage, et nulle part ailleurs. Même si je le voulais.

L'ascenseur s'arrête à mon étage comme Roger l'a demandé, et je sors dans un couloir vide et mal éclairé, je commence à marcher vers la porte de ma chambre, et brise le silence en criant très fort une, deux, trois, puis quatre fois. Je fouille mes poches à la recherche de ma clé, mais ma porte est déjà ouverte et sur le lit est assise une jeune fille, du sang séché partout autour d'elle, en train de parcourir *Hustler*. Elle lève les yeux et je ferme la porte à clé, la regarde fixement.

« C'est toi qui criais comme ça ? dit-elle d'une petite voix fatiguée.

— À ton avis ? » je lui demande. Puis : « T'as fait connaissance avec la machine à glace ? »

La fille est jolie, blonde, très bronzée, l'air d'arriver tout droit de la Californie, elle porte un T-shirt avec mon nom imprimé dessus, et un jean délavé très serré. Elle a les lèvres rouges et brillantes, et elle pose sa revue en me voyant m'avancer lentement vers elle ; je manque de trébucher sur un godemiché usagé que Roger a baptisé « le suppléant ». Elle me regarde à son tour, l'air apeuré, mais sa manière de quitter le lit et de marcher à reculons vers le mur me paraît trop calculée et quand elle atteint finalement le mur, s'appuie dessus et respire profondément, je dois mettre mes mains autour de son cou, d'abord avec douceur, puis plus fort, et elle ferme les yeux, et je l'attire vers moi et lui tape la tête contre le mur, ce qui, à ma grande contrariété, ne semble pas l'émouvoir et elle ouvre les yeux, me sourit, et soudain, d'un seul geste très rapide, avec ses ongles immenses, pointus et roses, elle déchire mon T-shirt à deux cents dollars et me griffe profondément la poitrine, alors je serre le poing et lui envoie un direct. Elle me griffe le visage. Je la jette par terre, mais ses ongles n'ont pas quitté ma bouche, et elle me crache dessus et crie.

Je prends un bain moussant dans le jacuzzi ; la fille a perdu une dent, et elle s'est assise nue sur le siège des W.-C., tenant serré sur sa joue gauche un sac de glace que le service d'étage a apporté (il en a apporté plusieurs). Elle se lève maladroitement et boitille jusqu'au miroir et dit : « Je crois que l'enflure est partie. » Je prends un glaçon qui flotte sur l'eau, le mets dans ma bouche et le suçote en me concentrant sur cette activité. Elle se rassied sur le siège et soupire.

« Tu ne veux pas savoir de quel État je suis originaire ?

— Non, pas vraiment.

— Du Nebraska. De Lincoln, dans le Nebraska. »

S'ensuit un long silence.

« Tu avais un boulot au centre commercial, c'est ça ? je dis, les yeux fermés. Mais le centre a fermé, hein ? »

Je l'entends allumer une cigarette, sens l'odeur du tabac. Elle me demande : « Tu y as été ?

— J'ai été dans un centre commercial dans le Nebraska.

— Vraiment ?

— Ouais.

— C'est tout plat là-bas.

— Vraiment plat.

— Totalement.

— Totalement. »

Je contemple la peau déchirée sur ma poitrine, les lignes roses et gonflées qui strient la peau, juste au-dessus de mes tétons, et je réfléchis. Encore une séance de photos torse nu de foutue ! J'effleure mes tétons, écarte la main de la fille quand elle veut en faire autant. Dès qu'elle s'est lubrifiée correctement, je la pénètre à nouveau.

149

Un gramme de cocaïne, et me voilà prêt à appeler Nina à Malibu. Le téléphone sonne dix-huit fois. Elle finit par décrocher.

« Allô ?

— Nina ?

— Oui ?

— C'est moi.

— Ah... » Silence. « Une seconde. » Silence. « Tu es là ?

— On pourrait croire que ça t'intéresse.

— Et si c'était le cas, ma chérie ?

— Je ne crois pas que ça soit le cas, pauvre connard !

— Seigneur !

— Je vais très bien, dit-elle très vite. D'où appelles-tu ? »

Je ferme les yeux, m'appuie contre la tête de lit. « De Tokyo. Du Hilton.

— Ça fait chic.

— C'est de loin le plus chic de tous les endroits où j'ai été.

— Très bien alors.

— Tu n'as pas l'air très enthousiaste, ma chérie.

— Vraiment ?

— Oh merde, passe-moi Kenny.

— Il est sur la plage avec Martin.

— Martin ? je répète, surpris. Qui donc est Martin ?

— Marty, Marty, Marty, Marty.

— OK, OK, d'accord, Marty. Comment va Marty ?

— Marty est en superforme.

— Ouais ? Super, je dis, même si je n'ai aucune idée de qui est ce Marty, mais je veux parler à Kenny, mon cœur. Tu veux pas aller jusqu'à la plage et me l'appeler sans faire de scène ?

150

— Un autre jour, OK ?

— Je veux parler à mon fils.

— Mais lui il ne veut pas te parler.

— Laisse-moi lui parler, Nina, je soupire.

— C'est inutile.

— Nina, va chercher Kenny.

— Je vais raccrocher maintenant, Bryan, OK ?

— Nina, je vais appeler mon avocat.

— J'emmerde ton avocat, Bryan, tu comprends ? Bon, il faut que je te quitte.

— Oh, Seigneur...

— Et ce n'est vraiment pas une bonne idée d'appeler ici trop souvent. »

Un long silence s'ensuit parce que je ne dis plus rien.

« Ce n'est pas une bonne idée de vouloir parler à Kenny, parce que tu lui fais peur, reprend-elle.

— Et toi, tu ne lui fais pas peur ? je réponds, médusé.

— Ne rappelle plus jamais. » Elle raccroche.

Je suis assis dans la cafétéria déserte au sous-sol du Hilton de Tokyo (que Roger a fait évacuer « pour que les gens ne te voient pas dans cet état ») ; Roger m'informe que nous allons regarder les English Prices prendre leur repas. Roger est affublé d'une paire d'énormes lunettes noires et d'une espèce de pyjama coûteux ; il mastique du bubble-gum.

« Qui ? je demande. *Qui ?*

— Les English Prices, répète distinctement Roger. Un nouveau groupe. MTV les a découverts et les a lancés. » Silence. « Vraiment lancés ! dit-il avec un sourire forcé. Ils sont d'Anaheim.

— Pourquoi ?

— Parce qu'ils y sont nés ! soupire Roger.

— Ah, je vois, je dis.

— Ils voudraient faire ta connaissance.

— Mais... pourquoi ?

— Bonne question. Mais est-ce que la réponse t'intéresse vraiment ?

— Pourquoi ils sont à Tokyo ?

— Parce qu'ils font une tournée. Tu as pris de la coke ?

— Des grammes, des grammes et des grammes ! Si tu savais combien, tu en crèverais !

— Je suppose que c'est mieux que ton trip Angel Dust de 82, dit-il avec un soupir fatigué.

— Qui sont ces types, Roger ?

— Et toi, t'es qui ?

— Euh..., je dis, surpris par la question. D'après toi ?

— Quelqu'un qui a essayé de brûler son ex-femme avec une torche enflammée, par exemple.

— Pas son ex ! J'étais marié avec elle à cette époque.

— Elle a eu une riche idée en se jetant dans l'océan. » Roger réfléchit. « Bien sûr c'était trois mois après, mais, vu l'état dans lequel elle était quand tu l'as rencontrée, on peut dire que ses réflexes s'étaient améliorés. » Il allume une cigarette. Il réfléchit. « Seigneur, je n'arrive pas à comprendre qu'on lui ait donné la garde de ton fils. Mais d'un autre côté, je n'aime mieux pas penser à ce qui serait arrivé à ce gamin si on te l'avait confié. Autant le confier à Lucifer.

— Roger, dis-moi qui sont ces types !

— As-tu vu la couverture du dernier *Rolling Stone* ? dit-il en appelant une jeune serveuse japonaise un peu nerveuse d'un claquement de doigts. Ah, c'est vrai, j'oubliais, monsieur ne lit plus cette revue.

152

— Pas depuis tout cette merde qu'ils ont déversée à la mort d'Ed.

— Tu es très, très délicat. » Roger soupire. « Les English Prices sont au top. Un album génial, *Toadstool*, et ils ont déjà un jeu vidéo à leur nom ; tu devrais y jouer... quand tu seras en état, dit Roger en montrant à la serveuse poliment inclinée sa tasse à café vide. Ça paraît nul comme ça, mais ça ne l'est pas.

— Seigneur, je suis une vraie ruine.

— Les English Prices sont au top, répète Roger. Au zénith !

— Tu m'as déjà dit tout ça, et je ne te crois toujours pas.

— Reste calme.

— Et pourquoi je devrais rester calme ? » Je le regarde dans les yeux pour la première fois depuis que nous sommes entrés dans la cafétéria. Il contemple sa tasse, me regarde et annonce en détachant soigneusement chaque mot : « Parce que je vais devenir leur impresario. » Je ne dis rien.

« Avec eux, il y aura beaucoup plus de monde. *Beaucoup* plus, continue Roger.

— Pour quoi ? Pour qui ? » Je me rends compte que la question est sans objet et qu'il vaut mieux qu'elle reste sans réponse.

« Mais pour vous les mecs. Nous avons attiré des foules convenables, mais...

— Je ne ferai pas un autre tour du monde, Roger. C'est fini.

— Ça, c'est ce que tu crois, déclare Roger d'une voix tranquille.

— Oh, putain... » est tout ce que j'arrive à dire.

Roger lève les yeux.

« Oh, merde, voilà ces petits cons qui arrivent. Reste calme.

— Mais je *suis* calme ! Putain de bordel !

— Répète-toi ça et baisse tes manches de chemise.

— Je me rends de plus en plus compte que tu ne comprends rien à ma vie », je dis en lui obéissant.

Quatre membres des English Prices entrent dans la cafétéria, et chacun a une jeune Japonaise à ses côtés. Les Japonaises sont très jeunes, jolies, portent des minijupes à rayures, des T-shirts et des bottes de cuir rose. Le leader du groupe est lui aussi très jeune, plus jeune encore que les Japonaises, et il a une toute petite mèche de cheveux blond platine, une peau lisse et bronzée, du mascara sur les paupières, un fard rouge autour des yeux, il porte du cuir noir et, au poignet de la main qu'il me tend, je vois un bracelet clouté. Nous nous serrons la main.

« Salut ! Hé, je suis un de tes fans depuis toujours, je l'entends dire, depuis toujours ! »

Les autres membres du groupe hochent la tête d'un air boudeur en signe d'accord. Je n'arrive ni à sourire ni à hocher la tête. Nous sommes tous assis autour d'une grande table en verre et les Japonaises n'arrêtent pas de me regarder et de se parler à voix basse.

« Où est Gus ? demande Roger.

— Gus a chopé une mononucléose, dit le leader en se tournant vers Roger, mais sans me quitter des yeux.

— Il faudra que je lui envoie des fleurs », dit Roger.

Le chanteur se tourne vers moi et précise : « Gus est notre batteur.

— Ah, je soupire, c'est... sympa.

— Un sushi avec nous ? propose Roger.

— Non, je suis végétarien, dit le chanteur, et en

plus nous avons déjà pris un énorme plat de spaghetti pour le petit déj.

— Avec qui ?

— Le gros boss d'une maison de disques.

— Cool ! fait Roger.

— En tout cas, mec, dit le chanteur en reportant toute son attention sur moi, ouais, j'ai écouté tes disques, enfin ceux que tu as faits avec le groupe, depuis... ouais, depuis toujours. Depuis très, très longtemps, je... enfin... ouais, je peux dire que tu... tu... tu nous as... » et il termine avec difficulté, « influencés. »

Les autres membres des English Prices approuvent à l'unisson. J'essaie de regarder le chanteur dans les yeux, j'essaie de dire « Formidable ! » Personne ne bronche.

« Hé, dit le chanteur à Roger, il est plutôt réservé.

— Oui, acquiesce Roger, extrêmement réservé.

— Ça, c'est... c'est cool, murmure le chanteur avec quelque appréhension.

— Et toi, c'est qui que t'écoutais ? me demande l'un des membres du groupe.

— Quand ? je dis, surpris.

— En... eh bien... quand t'étais gosse, ou à l'école, au lycée, des trucs comme ça. Les influences, mec.

— Oh... des tas de trucs. Euh... je ne me souviens pas très bien... » Je regarde Roger pour qu'il m'aide. « Je préfère ne pas répondre.

— Tu veux que je... euh... que je répète la question ? » dit le chanteur.

Je l'observe fixement, figé, incapable de bouger.

« C'est comme ça, dit le chanteur finalement, avec un soupir.

— Les Ronettes, le captain Beefheart, des trucs populaires, voilà », énumère Roger sans broncher, puis il ajoute : « Qui sont vos amies ? » Il rigole d'un air malicieux et le chanteur rit très fort, donnant aux autres le signal pour l'imiter.

« Ces filles sont super.

— Oui, m'sieu, dit l'un d'entre eux d'une voix monocorde, profonde, avec un zézaiement prononcé. Elles ne comprennent pas un mot d'américain, mais elles baisent comme des lapines.

— Pas un mot, dit le chanteur à la fille assise près de lui. Tu baises bien, hein, ma petite pute ? » ajoute-t-il avec une expression sincère. La fille observe son expression, voit le hochement de tête, le sourire, et répond d'un sourire innocent, inquiet, puis elle hoche la tête et tout le monde rit.

Le chanteur, toujours souriant, dit à une autre fille : « T'aimes ça, hein ? Ça te plaît quand je te gifle avec ma grosse bite bien dure, hein, espèce de petite pute nippone ? »

La fille approuve, sourit, regarde ses copines, et le groupe rit, Roger rit, les Japonaises rient. Je ris, retire enfin mes lunettes noires, je me détends un peu. Le silence s'ensuit, et chacun, autour de la table, est brusquement livré à soi-même. Roger dit au groupe de se commander à boire. Les Japonaises rigolent, resserrent leurs petites bottes roses, le chanteur n'arrête pas de regarder le bandage autour de ma tête, et je me vois dans son sourire méprisant et naïf, dans la confusion d'une séance de photos, dans une chambre d'hôtel à San Francisco, dans un milliard de milliards de dollars, dans dix mois.

Dans une loge du grand stade, juste avant de monter sur scène, je suis assis sur une chaise et je regarde mon reflet dans un énorme miroir ovale à travers mes Wayfarers, je me vois en train de grignoter des radis. Je commence à taper du pied sur le mur, les poings serrés. Roger entre, s'assied, allume une cigarette. Je marmonne quelque chose.

« Quoi ? dit Roger. Tu parles entre tes dents.

— J'ai pas envie d'y aller.

— Et pourquoi ? dit-il comme s'il parlait à un enfant.

— Je ne me sens pas très bien. » Je regarde mon reflet. Inutilement.

« Ne dis pas ça. Tu as l'air d'être en super forme !

— Ouais, c'est ça, t'es vraiment un super pote », je dis, furieux, et j'ajoute : « Trouve-moi Reggie.

— Qui à la régie ? » dit-il, et voyant que je suis prêt à le frapper, il ajoute : C'est juste une blague. »

Roger téléphone et, dix minutes plus tard, quelqu'un entoure mon bras avec quelque chose, ma veine est percée, ça pique, des vitamines, de la chaleur pure qui *s'engouffre* en moi, fait sortir le froid, d'abord très vite, puis plus lentement, oh oui, plus lentement.

Roger se rassoit sur le sofa et me lance : « Ne frappe plus tes groupies, d'accord ? Tu m'entends ? *Bas les pattes !*

— Oh, putain. Elles... elles aiment ça. Elles aiment me caresser... je les laisse faire, tu vois.

— Laisse tomber ! *Laisse tomber !* Tu m'entends ?

— Eh merde, va te faire foutre, je recommencerai si ça me plaît.

— Répète un peu ?

— Eh oh, je suis Bryan...

— Je sais qui tu es, interrompt Roger, tu es l'immonde connard qui a battu trois filles pendant la dernière tournée et menacé l'une d'elles avec un couteau de *boucher*. Ces filles continuent à nous

157

faire raquer. Tu te souviens de cette sale garce du Missouri ?

— Du Missouri ? je dis en ricanant.

— Celle que tu as failli tuer, ça te rafraîchit la mémoire ?

— Non.

— On continue à la payer, elle et son avocat véreux.

— Tu deviens lourd, mon pote... et quand tu es comme ça, je... laisse-moi tranquille...

— Tu te souviens comme tu as amoché cette fille-là ?

— Ne remue pas le passé.

— Tu sais combien je dois donner chaque mois à cette garce ? Tu le sais ?

— Fous-moi la paix, je dis dans un murmure.

— Elle a passé un an dans un fauteuil roulant.

— Il faut que je te dise quelque chose.

— N'essaie pas de m'expliquer que tu sais tout ça. Parce que tu ne le sais pas. Tu ne sais rien de rien.

— J'ai quelque chose à te dire.

— Quoi ? Tu veux m'annoncer ta retraite ? » Roger est furieux. « Laisse-moi deviner... tu vas vendre tous tes droits ?

— Je hais le Japon.

— Tu hais tout, dit Roger. Espèce de connard répugnant.

— Le Japon est... est... tellement différent, je finis par lâcher.

— C'est une blague. Tu dis ça à chaque voyage. » Roger soupire. « Concentre-toi, concentre-toi, bon Dieu ! »

Je regarde à nouveau le miroir, j'entends des cris venir du stade.

158

« Occupe-toi aussi de mes rêves, Roger, occupe-toi de mes rêves ! »

Dans l'avion au départ de Tokyo, je suis assis seul à l'arrière et je tripote les boutons d'un synthétiseur de voyage et Roger est près de moi et il me chante à l'oreille « *Over the rainbow* », les choses disparaissent, éclatent, s'effacent, une année de plus, quelques voyages encore, une personne insensible qui s'en fout, un ennui si monumental qu'il rend humble, des décisions tellement changeantes, prises par des gens à ce point inconnus que tu finis par perdre tout sens du réel, si tu en as jamais eu, des espérances si déraisonnables que tu deviens méfiant à l'idée de les réaliser. Roger me passe un joint, je tire une taf et regarde par la vitre, et je me détends un peu quand les lumières de Tokyo, dont je viens de comprendre que c'est une île, s'évanouissent, mais ce sentiment ne dure pas parce que Roger m'annonce que d'autres lumières dans d'autres villes, dans d'autres pays, sur d'autres planètes, vont bientôt s'allumer.

8

Lettres de Los Angeles

Le 4 septembre 1983

Cher Sean,

Je crois que tu ne t'attendais pas à avoir de mes nouvelles. Moi qui voulais tout quitter ! Me voilà à l'autre bout du pays, en Californie, assise sur mon lit, je bois un Coca light et j'écoute David Bowie. C'est drôle, tu ne trouves pas ? Il y a une semaine que je suis arrivée à L.A. et je n'en suis pas encore revenue. Tout l'été, je savais que c'était prévu, mais ça ne me paraissait pas réel. Heureusement que je n'ai pas passé trop de temps à y penser, parce que *rien* n'aurait pu m'y préparer. L.A. ne ressemble à rien.

J'ai atterri à l'aéroport de Los Angeles, mardi après-midi, à moitié folle à cause du manque de sommeil, et me demandant ce que je faisais ici ! J'avais l'impression d'entrer dans un autre monde, 40° à l'ombre avec toutes ces créatures blondes et bronzées, le regard perdu (des phénomènes !), marchant sans me voir en allant reprendre leurs voitu-

161

res. Je me sentais tellement pâle, j'avais un peu l'impression qu'aurait la seule fille blonde débarquant en Égypte ! Et je pensais que tout le monde me regardait : ni blonde, ni bronzée, ni jolie, alors ignorons-la. Pendant les premiers jours, j'ai fumé des Export A à la chaîne, en rasant les trottoirs et en rêvant de Camden. Je ne sais pas ce qu'il faut faire pour être accepté ici. Me faire bronzer aux UV ? Me teindre les cheveux en blond ? Tu me crois peut-être parano, mais je sens vraiment cette hostilité autour de moi. Je m'habitue, mais c'est dur.

Mes grands-parents étaient fous de joie quand ils m'ont vue. Ils ne sont pas tellement démonstratifs, mais j'ai toujours été leur petite-fille préférée, et ils étaient surexcités. Dans la voiture, mon grand-père, tellement blond, bronzé et éclatant de santé que c'en était surnaturel, m'a pris la main et m'a dit : « Maintenant c'est nous qui allons nous occuper de toi. Tu ne manqueras plus de *rien.* » Et il n'avait pas l'air de plaisanter.

J'ai passé la semaine dernière à faire la touriste, à aller à des soirées et à rattraper le sommeil perdu. On a passé une journée à Disneyland, un vrai voyage ! J'avais vu des photos de Disneyland, mais laisse-moi te dire, Sean, qu'en réalité c'est vraiment autre chose. L'assistante de mon grand-père a pris au moins vingt rouleaux de photos de moi : debout, l'air stupide, à côté de Mickey Mouse, devant le Mt Matterhorn, l'air pensive devant le Space Mountain, avec une sorte de monstre pervers habillé en Pluto courant vers moi (berk !), devant le château hanté, etc. Je me suis perdue, ce qui était très gênant. C'est un peu plus petit que ce que je croyais, mais c'est superbe. On a été aussi à quatre musées de cire, et on a fait Sunset Boulevard en voiture dans les deux sens et de nuit. L.A. de nuit, c'est vraiment beau ! La vie nocturne à L.A. me paraît très animée ! Vendredi soir je suis allée avec un couple, les Fang (elle est à la direction des Studios Universal, et lui est producteur de disques), dans un night-club privé, on a dansé, on s'est soûlés et on s'est bien amusés. Moi qui croyais que je ne connaîtrais rien de cette vie-là ! Ce couple et moi, on est devenus de grands amis, et il a promis de me faire connaître sa sœur, qui a mon âge et qui est étudiante à Pepperdine, la prochaine fois que j'irai à Malibu avec eux et leurs amis. Ils doivent même me donner la clé de leur (en fait il est à lui) studio à Century City, comme ça, quand j'aurai envie de laisser tomber les grands-parents, je pourrai y aller. Ils veulent aussi m'emmener avec eux la prochaine fois qu'ils iront à Palm Springs.

Pourtant la ville est très calme ; surtout par rapport à New York. Tout paraît plus propre et semble fonctionner plus lentement, sans stress. Mais je ne me sens pas encore en sécurité. Je me sens vulnérable, comme si j'étais en pleine nature. Mais mes grands-parents disent que c'est plutôt sans danger ici (comme ils habitent dans ce qui doit être le plus beau quartier de Bel Air, je pense que je n'ai pas de crainte à avoir). Mais j'étais tellement habituée à ma petite vie entre Camden et Manhattan que d'être ici me fait un vrai choc. Je regarde tous ces gens qui s'agitent, ces beaux hommes blonds et bronzés, les femmes élégantes, et tout le monde a une Mercedes, et je n'arrive même pas à tout décrire.

En bref, je me sens plus heureuse et plus libre que jamais avant. Et je ne regrette pas d'être venue. Je crois que c'est un changement incroyablement sain. J'ai bien fait de sauter un trimestre à la fac pour venir ici.

Les Plimsouls chantent « *I'm just a million miles*

away[1] » sur la bande FM et je trouve que quelque-fois les chansons tombent juste. Je suis tellement loin de tout. Mais c'est bien. Je suis ici jusqu'en février, ce qui veut dire que je reprendrai les cours en mars. Je vais aider grand-père au studio, lire des scénarios, des tas de trucs comme ça, et je suis tout excitée à l'idée, et je vais aller à Malibu, traîner un peu à Palm Springs (c'est bien de savoir qu'il y a un ou deux endroits où je peux aller si jamais je me fatigue de L.A., ce qui paraît difficile à imaginer). J'espère que tu me répondras. J'aimerais vraiment beaucoup avoir de tes nouvelles. Vraiment !

> Je t'embrasse,
>
> ANNE

Le 9 septembre 1983

Cher Sean,

Salut ! J'ai pensé à toi aujourd'hui ! Je t'imagine à Camden, traînant au Café, fumant sans arrêt, pre-nant tes cours. Tout va-t-il bien pour toi là-bas ? Je me fais du souci pour toi, ce qui est plutôt stupide de ma part, mais comme je me fais du souci pour des tas de choses, alors... Donc, comment vas-tu ? Avec qui passes-tu ton temps ? Quels cours suis-tu ? As-tu beaucoup porté tes Wayfarers (moi, oui !) ? Quoi de neuf ? Vas-tu bien ? Comme tu le vois, j'ai beaucoup de questions à te poser ! J'espère vraiment très, très fort que tu vas m'écrire. Je suis désolée si mon petit coup de cœur pour toi t'a embêté. Je suis tellement impulsive que je n'arrive pas à prendre du recul. Mais même avant de tomber amoureuse, je

---

1. Je suis à un million de kilomètres.

t'aimais déjà beaucoup et je ne voudrais pour rien au monde perdre ton amitié parce que... enfin, parce que ! Nous ne nous connaissons pas vraiment bien, je le sais, et nous avions tellement de travail à Camden qu'il n'y avait pas beaucoup de temps pour discuter. Mais j'espère que nous arriverons à nous connaître encore mieux. Ce que je veux dire, c'est qu'il y a des choses sur toi que je voudrais savoir. Enfin, je crois. Écris-moi !

Je m'amuse toujours beaucoup. Du moins, je le crois. Mais je suis tellement cool que je n'arrive pas à en être sûre. Je suis assise près de la piscine pour l'instant. Je commence à bronzer et, crois-le ou non, j'ai réduit ma consommation de cigarettes ! Je me sens fondamentalement et totalement en forme ! (C'est du losangelessien pour toi !)

Je t'embrasse,

ANNE

P.-S. As-tu reçu ma dernière lettre ? S.T.P. écris !

Le 24 septembre 1983

Cher Sean,

Salut ! Je suis un peu gênée de t'écrire, parce que j'ai l'impression que tu es fâché contre moi. Est-ce que je me trompe ? C'est sûrement quelque chose que je t'ai dit dans ma dernière lettre. Peut-être que tu penses que je me suis laissé emballer ? Je pourrais le comprendre. Il m'arrive d'être un peu excessive dans mes enthousiasmes. Tu aurais pu m'écrire et me dire tout simplement de me calmer et ça aurait suffi. S.T.P., Sean, comprends que c'est un peu dur pour moi ! Ne peux-tu me pardonner pour ce que tu me reproches ? Je viens d'avoir une vision d'horreur : je rentre à Camden en mars, je te vois et je suis gênée et ne sais pas quoi faire. Peut-être que tu refuseras de me parler, ou un truc méchant comme ça ! Ne peux-tu m'écrire et t'expliquer ? S'il te plaît !

En tout cas, me voilà assise au bord de la piscine de cette immense maison de Palm Springs. Il est presque midi et je n'ai rien fait d'autre depuis des heures que me dorer la pilule en regardant les palmiers. C'est très tentant de nager, de s'allonger près de la piscine, de se soûler ou de faire n'importe laquelle des choses décadentes qu'on fait facilement à Palm Springs. Mais je suis trop paresseuse, et l'idée seule de me mélanger à tous ces Californiens bronzés et encombrants m'effraie. En ce moment la maison est pleine de gens écervelés : des directeurs de studio d'âge mûr, avec des joints aux lèvres, et des briquets en or qu'ils utilisent uniquement pour l'occasion, des filles blondes et stupides puant l'huile solaire et le sexe. Des vieilles richardes avec des jeunes mâles trop beaux (qui, Dieu sait pourquoi, sont tous des pédés). J'ai regardé les étagères de bouquins dans la maison et j'ai été gênée de voir qu'il n'y avait que des bouquins pornographiques comme *Le Ranch des grosses tiges* ou *Le Ranch des chattes de la Gestapo*. Répugnant, non ?

Il y a une petite semaine, j'ai été dans un night-club tout ce qu'il y a de plus chic avec des amis, et le disc-jockey nous passait Yaz et Bowie, et les vidéos marchaient aussi, et j'en étais à mon troisième gin-tonic quand je me suis rendu compte que c'était partout la même chose : New York, Camden, L.A., Palm Springs, ça ne fait aucune différence. Peut-être que ça devrait me déstabiliser, mais non, même pas. Au contraire, je trouve ça plutôt réconfortant. Il y a un genre de vie ici auquel je me suis habituée, et je l'aime bien. Est-ce que c'est sain ? Est-ce que je serai toujours comme ça ? Ou seulement pendant mon séjour à L.A. ? Je n'en sais rien. Je sais que rien ne va changer en une nuit et que le mieux que je puisse faire c'est de m'adapter. À m'entendre, on pourrait croire que je suis malheureuse ou déprimée, mais pas du tout. Je suis plus heureuse et plus détendue que jamais. Il y a un mois que j'ai quitté New York (qui me manque toujours) et ça m'a fait le plus grand bien psychologiquement parlant. Je n'ai pas l'impression d'être redevenue la petite fille simple, idéaliste, que j'étais il y a cinq ans, mais je suis beaucoup moins déprimée, et je crois que j'y vois plus clair. Tout se passe plus facilement ici. Je crois que tu avais raison quand tu m'as dit ce soir-là que « je devrais me tirer vite fait et aller à L.A. ». (T'en souviens-tu ? Tu étais ivre !) Ton conseil était le bon. En tout cas, si je ne reviens pas plus heureuse, je reviendrai au moins en meilleure santé. Je nage en plein dans l'alimentation diététique ici. J'avale des vitamines à la pelle.

Que dire de ma vie avec les grands-parents ? C'est un couple assez normal et ils sont vraiment très sympa avec moi. Ils m'achètent absolument tout ce que je veux (et je dois dire que j'aime plutôt me faire gâter ici !). On dirait qu'ils adorent me combler, m'emmener dans les meilleurs restaurants, etc. Et le mieux est qu'ils ne semblent pas attendre grand-chose en retour, comme ça ils ne seront pas déçus.

Je deviens plus philosophe, surtout ici dans le désert, loin de L.A. À moins que ce ne soit juste une technique de survie de ma part. Une chose que j'ai apprise ici, c'est de ne rien attendre des gens. Sinon, je me sens toujours déçue. Et il n'y a absolument aucune raison de ressentir ça. Bien sûr, je fais toujours des tas d'erreurs, mais j'apprends un peu plus tous les jours. « Ah ! tu dois te dire, nous y voilà, elle fait allusion à moi ! » Eh bien, tu as peut-être raison. Les lettres trahissent un peu ceux qui les écrivent. Comme je ne sais pas trop ce que tu penses, je ne peux rien faire d'autre que de t'écrire en espérant que tu ne mets pas mes lettres à la poubelle sans les ouvrir. Est-ce que c'est ce que tu fais ? Tu devrais peut-être mettre une feuille dans ta machine à écrire, taper « Arrête » dessus et me l'envoyer (tu as bien mon adresse à L.A.... n'est-ce pas ? Mais est-ce que tu as une machine à écrire ?). Ainsi ce serait fini. Je respecterais ta volonté, mais je regretterais de perdre ton amitié (nous sommes toujours amis, non ?). Je dois avoir le don de me compliquer la vie. Est-ce que je te donne l'impression que tout est désagréable et confus entre nous ? Ce serait horrible. Ne pouvons-nous pas simplement être amis et oublier le reste ? Peut-être suis-je bête ou simpliste de croire que tout pourrait être aussi simple que ça, mais pourquoi pas ?

Et toi, comment vas-tu ? Tout va-t-il bien dans le New Hampshire ? Avec qui sors-tu ? Comment passes-tu tes journées ? À quoi penses-tu ? Est-ce que tu peins encore ? J'aimerais bien connaître tes impressions d'aujourd'hui sur le coin. Dans quel état d'esprit es-tu après quatre trimestres passés là-bas ? Écris-moi et raconte !

En allant chercher un Perrier à la cuisine, j'ai surpris le vieux producteur obèse qui disait au jeune homme qui ressemble étrangement à Matt Dillon qu'il a envie de lui et qu'il a besoin de lui. Pourquoi ne suis-je pas surprise ? J'ai été longtemps à L.A., Sean, plus rien déjà ne me surprend. M'écriras-tu ?

Je t'embrasse,

Anne

Cher Sean,

As-tu reçu ma dernière lettre ?

Mon grand-père a beaucoup bu hier soir et il m'a dit que tout fout le camp et que nous arrivons à la fin d'une époque. Mes grands-parents (qui ne sont pas parmi les gens les plus intelligents que je connaisse) pensent qu'ils ont vécu à l'Âge d'or, et ils me disent qu'ils sont heureux à l'idée de mourir sans voir ce qui va suivre. Hier, grand-père m'a dit, devant une énorme bouteille de chardonnay, qu'il craignait pour ses enfants et pour moi. C'est la première fois que je l'ai senti sincère. Il disait vrai. En regardant autour de moi, ou en voyant à la télé ces pauvres gosses de Beyrouth ou d'ailleurs, en entendant parler de ces dealers de drogue qui se sont tous fait massacrer dans les collines ici hier soir, je suis d'accord avec lui jusqu'à un certain point. Je pense que les gens deviennent de moins en moins humains et se comportent de plus en plus comme des animaux. Ils pensent moins qu'avant et sont moins sensibles, et chacun se conduit en primitif. Je me demande ce que nous verrons, toi et moi, pendant notre vie. Tout semble si désespéré, et pourtant il faut essayer d'aller de l'avant, Sean. (Je t'ai dit que je devenais plus philosophe.) Je suppose qu'on ne peut pas échapper à son époque ? S'il te plaît, réponds ! Je m'éclate au soleil.

Je t'embrasse,

ANNE

Cher Sean,

As-tu reçu mes autres lettres ? Je ne sais même pas si tu les reçois. Je n'arrête pas d'écrire, de poster mes lettres, et j'ai l'impression que, si je les mettais dans une bouteille et les jetais à l'océan sur la plage de Malibu, ça aurait le même effet.

Je n'arrive pas à croire que je sois ici depuis six semaines déjà ! Mes grands-parents viennent de me dire qu'ils voudraient absolument que je reste une année entière. Je n'ai pas eu le courage de leur avouer que je préférerais encore me faire enfermer dans un musée !

D'un côté, j'aime bien L.A. Ici j'ai eu plus d'aventures et j'ai appris plus sur le monde que je n'aurais jamais cru possible. C'est une ville stimulante et je ne suis plus déprimée. Mais il y a une différence entre venir ici en visite et y habiter. Je ne crois pas que je pourrais me fixer ici. L.A. est comme une autre planète. Je veux dire, ces milliers de grands blonds aux yeux bleus, bronzés, tous surfeurs avec des corps parfaits qui se baladent dans les rues, qui foncent à la plage pour l'arrivée des grosses vagues dans leur Porsche flambant neuve (et en plus ils sont tous drogués) et les belles femmes plus âgées qui écoutent la radio dans leurs belles Rolls-Royce noires et essaient de se garer sur Rodeo Drive. Tout ça me fait un effet bizarre. Je suis lasse d'aller chaque soir dans les mêmes clubs, de m'allonger au bord de la piscine et de prendre de la cocaïne. (Oui, j'ai goûté la poudre blanche ; tout le monde, absolument tout le monde, le fait ici et je dois dire que je suis de leur avis : ça fait passer le temps beaucoup plus vite.) J'aime plutôt ça, et ça n'est pas si mal, mais je ne sais pas combien de temps encore je pourrai continuer ainsi. Chaque jour ressemble exactement au jour précédent. Tous les jours sont pareils. C'est bizarre. C'est comme si on se voyait dans le même film, mais avec une bande-son différente chaque fois. Si tu me croisais ici à L.A., chez Voilà ou à After Hours, tu dirais sûrement ce que tu as dit à Kenneth quand il t'a demandé ton avis sur moi (c'était mon idée qu'il te pose la question : ça t'étonne, non ?) et que tu as répondu : « C'est une fille très triste et très affectée. » (Oh, ne sois pas gêné, je ne t'en veux pas. Je te pardonne, alors oublie !) Eh bien, tout ça n'est qu'une petite partie de ma vie ici.

Les moments que je passe au studio sont beaucoup plus intéressants. Depuis un mois ou deux, j'ai rencontré des tas d'acteurs et d'actrices célèbres. Mon grand-père doit les connaître tous. J'ai dû assister à au moins un million de projections. Et j'ai dû lire deux fois plus de scripts. J'emmagasine aussi une bonne dose de jargon de studio et tout ce que je peux apprendre sur le côté business du cinéma. C'est très, très excitant.

Je sais que je devrais écrire sur cette ville, mais je n'arrive pas à accoucher d'une histoire cohérente. Je n'ai pas encore la matière suffisante pour écrire. Ce n'est pas tellement qu'il y a énormément à voir ou à digérer. C'est plutôt que je n'ai pas assez de temps, avec toutes ces soirées et ces projections, mon travail au studio, et tout ça... À propos, comment va ta peinture ? Peins-tu toujours ? Je sais que tu es occupé et que rien ne t'oblige à peindre si tu n'en as pas envie, mais j'aimerais bien que tu m'envoies un poème ou une esquisse, quelque chose que tu aurais fait récemment, mais, plus encore, j'espère que tu es heureux, en bonne santé et tout, autant que moi. Et si ta vie n'est pas trop agitée, j'aimerais bien une lettre de toi. Une seule.

Je t'embrasse,

ANNE

Le 22 octobre 1983

Cher Sean,

Je suis dans le studio de quelques amis sous les toits à Century City. Il est un peu tard dans l'après-midi, et je suis très détendue. Quelqu'un m'a donné un Dalmane (je crois que c'est la bonne orthographe) parce que j'avais la migraine. Je me sens maintenant très bien, et très détendue. C'est la première fois depuis mon enfance que je me trouve bien là où je suis. Je ne sais pas si tu connais ce sentiment, mais moi, en général, je suis mal à l'aise au bout d'un moment au même endroit. Je m'ennuie, je suis irritable, et je ne pense qu'au lendemain (un peu comme toi sans doute quand tu t'es levé ce soir-là au Café alors que nous étions tous assis, que tu m'as regardée et que tu t'en es allé tout d'un coup). Je me suis toujours sentie comme un oiseau sur la branche, qui ne peut pas rester longtemps sur la même. Mais quelque chose est en train de changer. Absolument « rad » (abréviation de radical) comme on dit ici.

Je ne t'écris pas une vraie lettre, parce que nous sortons pour aller dîner bientôt ; quelqu'un a réservé une table chez Spago et nous partons dans une heure à une heure et demie. (C'est ce que je viens d'entendre.) Ce que je veux surtout te dire est que je pense beaucoup à toi, et que j'espère que tu es en bonne forme. M'écriras-tu ? Je veux avoir de tes nouvelles. *S'il te plaît !*

Je t'embrasse,

ANNE

Le 29 octobre 1983

Cher Sean,

La vie à L.A. a quelque chose de luxueux et de magnifique. C'est comme ça que j'ai envie de vivre pour toujours. Chaque jour, il y a une nouvelle aventure, une personne nouvelle à rencontrer, des choses nouvelles à voir chaque soir. C'est la première fois que j'ai l'impression de m'être trouvée. Même aux pires moments, je me sens détendue. Parfois je me sens seule, mais c'est rare.

Mes relations avec les gens ici ne sont ni dures ni tendues parce que personne ne cherche à s'investir, affectivement parlant. Ce sont des gens très sains, mais pas du tout superficiels. Pas du tout. C'est vrai que parfois je me sens anxieuse ou déprimée à cause d'eux, mais le soleil brille toujours, la piscine est toujours propre et chaude, et je me sens bien avec les gens d'ici.

Une bonne part de tout ça vient des gens avec qui je sors. Ils sont tous très vivants, intéressants et drôles. Beaucoup travaillent dans l'industrie du disque ou dans les studios de cinéma, et ils sont tous assez âgés pour comprendre qu'il ne faut pas gaspiller sa vie. Ici, les gens se soutiennent et ils me donnent leur avis en se fondant sur leur propre expérience.

Alors, as-tu eu enfin mes lettres ? Je ne sais plus combien j'en ai envoyé, peut-être quatre ou cinq. Mais je n'en ai reçu aucune de toi, Sean. Je suis très peinée. Non, je plaisante. Je comprends que ton actuel état d'esprit t'empêche d'écrire. Mais tu vois, je voudrais bien savoir quel est ton état d'esprit.

Je t'embrasse,

ANNE

Le 10 novembre 1983

Cher Sean,

Comment vas-tu ? Ton long silence ne m'a pas fait craquer. (Est-ce que c'est ton but ?) Je me dis que ta vie est ce qu'elle est et je peux très bien comprendre que tu n'as ni l'envie ni l'énergie suffisante pour m'écrire. J'espère cependant que tu n'as rien contre le flot de courrier dont je t'abreuve.

Je trouve intéressant de voir de quoi je te parle... Je pourrais te raconter mes aventures sexuelles, ou me vanter de mes dernières conquêtes. Mais ça serait un peu stupide. À vue de nez, ça fait très bien, mais au fond ce n'est pas original. Au bout d'un moment, c'est toujours la même chose, alors ? La drogue, l'alcool, et le sexe après, c'est très courant (ici, c'est plus que courant). Ça a perdu tout son lustre en ce qui me concerne. J'ignore où tu en es du point de vue affectif, quelle est ta vie, si tu as un bon karma, mais pour ma part, je suis bien dans ma peau. Je veux dire qu'ici, c'est marrant de sortir en boîte et de rencontrer ces types si beaux (ils sont stupides, mais tellement beaux. Ne sois pas jaloux !), de faire le tour des clubs privés avec ces jeunes garçons pleins aux as de Beverly Hills, de filer à la plage, de s'endormir avec du Valium, de s'habiller le soir, de danser toute la nuit, de boire, et tout le reste chez quelqu'un qu'on connaît à peine en haut de Mulholland. C'est marrant, mais ça devient ennuyeux. Heureusement, j'ai fait la connaissance de ce type...

Il s'occupe de la production dans un studio de cinéma ici, et j'ai été présentée à lui à l'une des soirées à scandale de mon grand-père et nous sommes devenus amis. Il a une Ferrari 308 GTB et nous roulons dans le désert jusqu'à sa maison, à Palm Springs, et là nous discutons. Sean, ce type est fascinant. Il s'appelle Randy, il a trente ans et il sort avec ce mannequin qui est à New York toute cette semaine pour des photos, et il a fait le tour du monde. Comme on dit ici, c'est un intellectuel absolu, très distancié et très existentiel au meilleur sens du terme. Je lui ai tout dit de moi, de New York, de Camden, de ma vie, et je lui ai donné à lire certains de mes textes. Il les a aimés, mais il a été assez honnête pour me dire qu'il ne les jugeait pas très commerciaux. Il m'a dit qu'il avait envie d'en lire d'autres. Il m'a aussi raconté qu'il connaissait personnellement trois vampires qui habitent Woodland Hills, mais ici il faut s'habituer au pire comme au meilleur.

Randy n'est pas le seul type très intéressant que j'aie rencontré ici.

Je viens de lire un fabuleux scénario. Un remake de *L'Étranger* de Camus, où Meursault est un break-dancer bisexuel et punk. C'est Randy qui me l'a montré. J'ai adoré. Randy pense que c'est « fondamentalement infilmable » et qu'on attirerait plus de monde dans les salles en filmant pendant trois heures une orange qui roule sur le sol d'un parking.

Eh bien, j'espère que tu pourras m'écrire, mais sinon... qu'est-ce que je peux ajouter ?

Je t'embrasse,

ANNE

175

Cher Sean,

Il faut que je t'en dise plus sur Randy (tu te souviens, celui qui bosse au studio ?). Lui et moi, on est allé à sa maison de Mulholland, on s'est assis dans le patio et on a regardé le crépuscule. La lune était pleine, et déjà bien visible tandis que le soleil se couchait. Tout était très calme et il n'y avait que Randy et moi, et sa Ferrari, le vent, le jacuzzi, les couleurs assombries du ciel. Nous avons partagé un joint (oui, j'en ai fumé un peu) et je me suis dit que c'était merveilleux et reposant d'être loin de tout et de tous. Ça m'aide à penser et à sentir plus clairement. Surtout à Palm Springs, où je suis complètement environnée par le désert, c'est très reposant. Essaie d'imaginer ! Il doit y avoir une raison psychologique. Mais je me sens si douce, si paisible, si détendue ! Et je crois aussi que j'aide beaucoup Randy. Quand il me dit qu'il se sent vide, égaré, je lui dis qu'il ne faut pas et on dirait qu'il comprend. J'ai écrit un peu, et quand il n'est pas fatigué, il lit ce que j'ai fait et me dit que c'est un peu plus commercial qu'avant, et que ça pourrait se vendre sur les marchés étrangers. C'est constructif comme critique, tu ne trouves pas ? Je crois qu'il a raison la plupart du temps.

Randy m'a beaucoup aidée ces deux derniers mois. Il m'a rendue moins agressive. Il a tellement voyagé, il a tellement d'expérience, et il a lu tellement plus que moi ! J'ai confiance en son jugement. C'est vraiment mon meilleur ami ici. Celui à qui je dis tout. C'est quand même extravagant, me voilà à Los Angeles, et mon meilleur ami est un directeur de studio de trente ans ! La vie est bizarre, non ?

Écoute, prends soin de toi et, si tu trouves un

peu de temps, écris-moi ! À propos, si tu veux me téléphoner, tu me trouveras soit chez mes grands-parents (213-275-9008), soit au studio (tu n'as qu'à demander Anne), soit chez Randy (il est sur liste rouge, c'est le 986-2030). Alors si le cœur t'en dit...

Je t'embrasse,

ANNE

Le 27 novembre 1983

Cher Sean,

Salut ! Je suis assise dans un bungalow de l'hôtel Beverly Hills où je suis venue voir des amis de Randy. J'ai passé ma meilleure nuit de sommeil depuis que je suis arrivée à Los Angeles (j'ai pris des tranquillisants pendant un moment, ce qui a fichu en l'air mes habitudes de sommeil). Aujourd'hui, je n'ai rien fait d'autre que de regarder MTV et de rester allongée au bord de la piscine. J'ai dit à Randy (tu te souviens de lui, n'est-ce pas ?) et à d'autres personnes que je sortirais peut-être avec eux ce soir, peut-être pas. Seigneur, quelle vie ! Est-ce que je t'ai raconté que je mens sur mon âge ? Tout le monde paraît telle-ment jeune, est tellement jeune, que je me sens déjà vieille, alors je dis que j'ai dix-sept ou dix-huit ans (j'en ai vingt !). Randy pense que j'ai seize ans ! Peux-tu croire ça ? Je dois tout le temps me redire : Anne, tu es étudiante de seconde année. C'est curieux et un peu déroutant, mais dans le fond ce n'est pas très important. Bon, il faut que j'y aille. Envoie-moi une lettre ? Une note, un mot ?

Je t'embrasse,

ANNE

Cher Sean,

C'est encore moi. Beaucoup de gens vont passer le week-end à Palm Springs. C'est difficile de refuser. J'ai rêvé de toi il y a quelques nuits. (Moi et mes rêves étranges ! Tu te souviens de celui que je t'ai raconté au trimestre dernier ? Il m'a tellement intéressée que je m'en suis servie pour un exposé de psycho. Mais ne t'en fais pas, je n'ai pas cité de noms ! Pourquoi est-ce que je ne te l'ai pas dit sur le moment ? Sans doute parce que je pensais que tu serais gêné.) C'était un rêve très bizarre. Tu habitais L.A., nous étions tous les deux plus âgés, et tu m'invitais à ta fête d'anniversaire, et il fallait que je prenne l'avion pour venir, et le voyage était affreux. Le reste du rêve se passait pendant la soirée. Tous les invités étaient vieux, et c'était déprimant parce que personne n'avait vraiment changé, et même si c'était merveilleux de te revoir, et même si tu étais aussi sympathique que d'habitude, je me sentais mal à l'aise, et je haïssais tout le monde. Haïr, peut-être pas, mais en tout cas j'avais du mal.

Sean, je pense sérieusement à rester ici un peu plus longtemps. J'ai presque oublié à quoi ressemblent New York et Camden, j'ai oublié des tas de visages, et je ne sais pas si j'aurais le courage de revenir. Je ne resterai sans doute pas ici définitivement, mais j'y ai déjà pensé. J'ai peur de revoir ces gens que j'appelais « mes amis », je préférerais rester ici et ne pas avoir à, comme tu le dis si bien, « faire face ». Tout le monde ici vit une vie tellement intéressante et passionnante, que retourner là-bas paraît absurde. (Ma lettre se perd dans les méandres... je me demande si tu y comprendras quelque chose. Si tu la trouves inintelligible, promets-moi de la parcourir très vite, OK ?)

Eh bien, tout ici est intéressant et stimulant. L.A. m'amuse (pour changer !). Je me suis plongée complètement dans la vie mondaine. (J'ai rencontré les Duran Duran ! C'était si excitant que j'aurais pu en *mourir sur-le-champ.*) J'ai rencontré des tas d'Anglais très bien. (Il y en a beaucoup, ne me demande pas pourquoi !) Ils sont tous bronzés et jeunes et travaillent dans des magasins de Melrose Avenue. Randy est copain avec pas mal d'entre eux. Un de ceux qu'il voit le plus s'appelle Scotty et je l'ai rencontré chez Randy. Il a dix-sept ans, il est médium, il travaille chez Flip, il est plein d'énergie, et c'est sûrement le plus bel homme que je connaisse. Nous avons déjà prévu d'aller à la plage ensemble, d'aller à Palm Springs et à plusieurs soirées.

Je suis aussi très liée avec la copine de Scotty, Christie (que Randy n'aime pas, mais elle le lui rend bien), qui est mannequin (elle a déjà été dans cinq spots télé pour les Jeans Levi's et dans une vidéo de ZZ Top, elle est superbe, tu la reconnaîtrais forcément si tu la voyais !). Elle passe beaucoup de temps à L.A. et à New York (elle est fondamentalement bicôtière). Elle est à moitié allemande et vraiment très mignonne. Il a aussi Carlos, qui est en quelque sorte le confident de Randy. Il a environ dix-huit ans, il est fascinant, et il est mannequin de maillots de bain pour *International Male.* Il est toujours ivre et il essaie de raconter des histoires. Il est fondamentalement sympa. Carlos est devenu l'une des personnes dont je suis le plus proche ici. En plus, il me prend pour une blonde, il absorbe sans arrêt du Valium, il pratique un nouveau vaudou qu'il a découvert à Bakersfield.

En tout cas, je suis débordée. Le matin je vais

avec Christie à un cours d'aérobic, et j'ai été beaucoup à la plage pour travailler mon bronzage. Je n'ai pas beaucoup mis les pieds au studio. J'ai aussi dansé pas mal et fait des trucs.

Hier, je ne sais pas pourquoi, Randy était complètement déprimé, on a pris sa Ferrari, on est allés à Palm Springs et il a parlé sérieusement de se foutre en l'air. Il m'a dit : « Tout ce que je veux c'est mourir. Je veux que ça s'arrête ! », et des trucs comme ça. Je lui ai montré des justaucorps tout neufs pour le distraire, j'ai essayé de lui remonter le moral et tout va bien maintenant. Mais ça m'a dévastée. Alors on est revenus à L.A., on a été à la plage, on a regardé le coucher de soleil, ça s'est arrangé. Randy a arrêté de dire qu'il se désintégrait (ouais, c'est le mot qu'il utilise, bizarre, non ?). S'il te plaît, s'il te plaît ! Écris, Sean !

Je t'embrasse,

ANNE

Le 5 décembre 1983

Cher Sean,

Je suis sûre que tu te demandes qui t'écrit cette nouvelle lettre... Eh oui, c'est encore moi ! Ça ne te dérange pas ? J'ai eu une journée très remplie, et j'ai besoin de me détendre un peu. Je n'ai pas envie de lire ou d'être créative. J'ai besoin de déverser mes pensées.

Un samedi très typique. Je me suis levée tard et j'ai partagé un joint avec Randy et Scotty qui ont dormi tous les deux dehors, tandis que moi j'ai couché dans le lit de Randy en haut. Puis on a regardé MTV très longtemps, on est allés à la plage, et après on est allés voir le tournage de la nouvelle vidéo d'Adam Ant à Malibu. Les English Prices y étaient. C'était dément ! Après j'ai eu un cours d'aérobic, et après Randy et moi on a bu quelques verres et on a re-regardé MTV. Puis on a essayé de dormir. Certains soirs, on passe tous les nouveaux CD que Randy reçoit par la poste. Il reçoit des exemplaires de presse de tous les disques qui sortent ! C'est génial ! Donc parfois on les écoute. Je ferais n'importe quoi pour sortir Randy de son délire suicidaire. Ça le reprend, Sean. Ça me fait peur. Bon, dans une demi-heure, ce sera l'heure du cours d'aérobic. Écris-moi, *s'il te plaît.*

Je t'embrasse,

A<small>NNE</small>

Le 7 décembre 1983

Cher Sean

Il a plu pour la première fois depuis que je suis à L.A. La température a dégringolé et il a plu. Randy et moi, on a traîné dans la maison, et j'ai lu des scripts et on a regardé MTV. J'ai rencontré Michael Jackson à une soirée à Encino. Pas terrible. Je suis toujours inquiète pour Randy. Il est persuadé que je vais le quitter. Il dit sans arrêt que tout le monde ici ne fait que passer, que personne n'a de vraies raisons d'être là. Randy a dérouillé Scotty et n'accepte plus que Carlos (qui est devenu son nouvel astrologue) et moi chez lui. J'ai l'impression de passer ma vie là-bas. Mes grands-parents ne s'en aperçoivent pas ou bien ils s'en fichent. Je dois donner l'impression de ne pas être très enthousiaste. Mais je le suis. C'est toujours aussi sympa d'être ici. Écris-moi. Je n'ai pas eu une seule lettre de toi, Sean. S'il te plaît !

Je t'embrasse,

ANNE

Le 10 décembre 1983

Cher Sean,

Une fois de plus, je ne résiste pas à la tentation d'écrire à quelqu'un sur la côte est. Pour le moment, je suis allongée dans le lit de Randy parce qu'il fait beaucoup trop chaud pour faire quoi que ce soit d'autre. Je fume une herbe excellente et je regarde des vidéos. Rien de neuf, comme tu vois ! Mais j'aime les journées comme celle-ci. J'aimerais que rien ne change jamais. Décembre est le meilleur mois de l'année pour les soirées (c'est ce qu'on m'a dit) à L.A. La fin de l'année s'annonce, avec toutes les promesses et tous les espoirs d'une nouvelle année. Pense à quel point les choses peuvent changer en une seule année ! Seigneur Jésus ! Quand je pense à ce que je faisais il y a un an en décembre et que je compare ça à *aujourd'hui*, j'ai du mal à croire qu'il s'agisse de la même personne, moi ! Dieu merci, le temps passe.

Randy traverse toujours une passe difficile. Il se sent toujours « démoli ». En ce moment, il est couché à côté de moi. En fait, il est couché par terre, et moi dans son lit. Carlos est dehors, il essaie de profiter des derniers rayons du soleil. Je fais de mon mieux avec Randy. Il maigrit tellement. Le voilà qui rit. Attends... OK, non, ça va. Oh, Sean, je ne sais pas si je vais revenir à Camden. L'idée seule de revoir tous ces prétendus intellectuels me paraît insupportable. Je ne crois pas que je m'y ferai. Je n'ai aucune raison de retourner à la fac. Je veux dire que j'adorerais te revoir, mais retourner dans le New Hampshire serait une catastrophe pour moi.

Y a-t-il quelque chose que tu aimerais que je t'envoie ? Par exemple une grosse cargaison de Valium (tout le monde en a ici). Non, je ne veux pas contribuer à faire de toi un drogué. Ha ! ha ! Randy a absolument tout ce qu'il faut de ce côté-là dans la maison. Des trucs dont je ne connais même pas le nom. (Les habitants de Los Angeles ne sont pas très pudiques avec leurs pilules.)

Nous (c'est-à-dire Randy, Carlos, un certain Wallace surnommé le piqueur de joint et moi) irons peut-être passer Noël à Palm Springs. Ça dépendra de l'état de Randy à ce moment-là. Mes grands-parents veulent que je passe Noël avec eux, mais je n'ai pas encore décidé. Peut-être que oui, peut-être que non.

Ça paraît tellement facile de rester ici à L.A. et de trouver un job dans l'industrie du disque ou au studio de mon grand-père (je ne sais pas encore quoi choisir, même si je n'ai pas tellement été au studio depuis un mois). Mes grands-parents ne remarquent pas vraiment mes absences. Ils sont tous les deux bourrés de tranquillisants. J'ai découvert récemment qu'ils étaient tous les deux des gros consommateurs de Librium. Carlos vient d'entrer. Carlos dit bonjour et me demande si tu es mignon. Qu'est-ce que tu crois que je lui ai répondu ? Tu ne le sauras jamais.

Quand tu recevras cette lettre, j'aurai vingt et un ans ou dix-huit ans, selon la personne à qui tu le demanderas. Où serons-nous dans dix ans ? Et qu'arrivera-t-il alors ? Je ne sais même pas ce qui se passe en ce moment !

Un ami de Carlos a été retrouvé mort dans une

poubelle à Studio City. Il avait été tué d'une balle en pleine tête, puis écorché ! Horrible, non ? Carlos ne paraît pas très affecté, mais Carlos est très costaud, alors ça ne me surprend pas. Il vient de mettre une nouvelle cassette dans le magnétoscope. Nous avons juste fini de regarder *La Nuit des morts vivants* et *Le Crépuscule des morts.* As-tu déjà vu ces films ? Randy les passe sans arrêt. Je les ai déjà vus des tas de fois ici. Ils sont vraiment marrants tous les deux. Carlos essaie de réveiller Randy pour qu'il voie le film. Carlos dit que L.A. grouille de vampires. Moi, je prends un Valium.

Écoute, Sean, j'ai décidé que je ne t'écrirai plus si je ne reçois pas une lettre de toi. Et je ne te supplierai plus. Si tu n'écris pas, c'est fini. Alors écris-moi, et porte-toi bien.

Je t'embrasse,

Anne

Le 26 décembre 1983

Cher Sean

Je viens de relire la première version de cette lettre et je me rends compte qu'elle ne raconte rien de ce qui se passe vraiment ici. Je regrette de n'être pas capable d'écrire une lettre avec des vraies nouvelles. Les descriptions m'ennuient, sans doute, et je n'arrive à écrire que ces gribouillis, qui ne t'expliquent pas grand-chose. Comment vas-tu ? Comment as-tu passé Noël ? J'espère que c'était bien. Je suis chez Christie pour le moment, assise au bord de la piscine. J'ai été faire des courses juste avant et j'ai acheté des boucles d'oreilles, deux paires de pantoufles, un sac d'oranges, j'ai déjeuné avec quelqu'un du studio qui a jonglé pour m'amuser et a ensuite pissé sur un palmier.

Randy est mort d'une overdose il y a une semaine (je crois que ça fait une semaine). En tout cas, c'est la version officielle, l'overdose. Tout le monde m'a dit que c'était ça, mais, Sean, j'ai vu la pièce où il a été trouvé mort, et elle était couverte de sang. Du sang partout. Jusqu'au plafond. Comment peut-il y avoir du sang au plafond quand on meurt d'une overdose ? Et comment peut-il y avoir du sang au plafond tout court ? (Scotty dit que c'est quand on explose.) Bon, je suis retournée à la plage avec Lance (c'est le punk absolument superbe qui travaille chez Poseur sur Melrose Avenue) et Lance m'a donné du Seconal, ce qui m'a fait beaucoup de bien. Je me sens mieux. Vraiment.

J'ai dit à ma belle-mère que je voudrais me fixer ici. Je ne vivrai pas chez mes grands-parents, mais chez Randy (c'est entièrement nettoyé, ne t'en fais pas) avec Carlos. Et j'hérite aussi de la Ferrari de Randy, donc, tu vois, je ne suis pas totalement écervelée ! Mais rien n'est encore décidé. Je n'ai pas eu le temps d'y penser vraiment. Vas-tu m'écrire ?

Je t'embrasse,

ANNE

Le 29 janvier 1984

Cher Sean,

Il me semble qu'il y a longtemps que je t'ai écrit. J'ai l'impression que le cœur n'y est plus. Je suis toujours là, et bien vivante, donc ne te fais pas de souci. Est-ce que tu arrives à croire que je vis ici ? Depuis cinq mois ? Mon Dieu ! Mais je ne crois pas

185

que je retournerai à Camden à la rentrée. Je suis trop bien habituée à la vie ici. J'ai pas mal bougé et j'ai été un peu au studio. Parfois je vais à Palm Springs. C'est calme, le soir.

Je collabore à un scénario avec un type que j'ai rencontré au studio, un type appelé Tad. Je ne peux pas en dire beaucoup plus, mais c'est un truc avec un camp de vacances et un énorme serpent, et c'est effrayant. (Je t'enverrai peut-être une photocopie du texte.) Tad est un véritable artiste (il peint de fantastiques fresques sur les murs de Venice !), mais il veut aussi écrire des scénarios. Personne n'a vu Carlos depuis des semaines. La dernière fois que j'ai entendu parler de lui, il était à Las Vegas, mais quelqu'un d'autre m'a raconté qu'on avait trouvé ses deux bras dans un sac au bout de La Brea. Il devait écrire le scénario avec moi. J'en ai montré un bout à ma grand-mère. Ça lui a plu. Elle a dit que c'était commercial.

Je t'embrasse,
ANNE

9

Une autre zone d'ombre

Je regarde vaguement Christie qui danse devant la télé grand écran. Les Fun Boy 3's chantent « *Our lips are sealed* » sur MTV et Christie danse en rythme, en utilisant tout l'espace disponible, les mains courant sur son bikini, les yeux fermés. Je m'ennuie, mais je ne l'avouerais pas pour tout l'or du monde, et Randy est allongé par terre, immobile, les yeux levés vers Christie, et Christie marche presque vers lui, ils ont l'un et l'autre l'air défoncé. Je suis assis sur la chaise beige près du sofa beige sur lequel Martin est allongé. Martin porte des shorts Dolphin, des lunettes Wayfarers, et il feuillette distraitement le dernier numéro de *GQ*. Le clip s'achève et Christie tombe par terre, pouffant de rire, marmonnant entre ses dents qu'elle est très, très défoncée. Randy allume un nouveau joint, aspire goulûment, tousse, le passe à Christie. Je regarde Martin. Martin ne quitte pas des yeux une photo dans le magazine qu'il vient d'ouvrir. Le groupe Police passe sur MTV, en noir et blanc, et l'énorme tête blonde de Sting regarde fixement notre petit groupe et se met à chanter. Je détache mes yeux de l'écran et regarde Christie. Randy me tend le joint, j'en prends une taf, ferme les yeux, mais je suis déjà tellement défoncé que l'herbe ne me fait rien, sinon m'aider à comprendre vaguement que je suis au-delà de toute communication. « Bon Dieu ! Sting est fantastique », dit Christie avec une sorte de gémissement, à moins que ce ne soit Randy ? Christie tire une autre fois sur le joint, se met sur le ventre et regarde Martin. Mais celui-ci se contente d'approuver d'un signe de tête et ajuste ses lunettes de soleil. Christie ne le quitte pas des yeux. Martin n'a pas ouvert la bouche pendant les douze derniers clips. J'ai compté soigneusement. Christie est ma petite amie. C'est un mannequin qui est venu, je crois, d'Angleterre.

Je me lève, me rassieds, me relève, rajuste mon short et vais jusqu'au balcon où je reste, immobile, les mains posées sur le rebord, les yeux fixés sur Century City. Le soleil se couche sur un ciel orange et pourpre et il fait encore plus chaud. J'aspire un grand coup, j'essaie de me rappeler quand Christie et Randy sont arrivés, quand Martin les a fait entrer, quand ils ont allumé MTV, quand ils ont mangé le premier ananas, allumé leur second joint, leur troisième, leur quatrième. Mais sur l'écran, à l'intérieur, il y a du nouveau, et je vois un garçon aspiré dans un nuage géant qui a la forme d'un téléviseur et les couleurs d'un arc-en-ciel. Sur le sofa, Christie est allongée sur Martin. Martin a gardé ses lunettes de soleil. Le numéro du magazine qu'il lisait est tombé sur la moquette beige. Je passe devant eux, enjambe le corps immobile de Randy, entre dans la cuisine, prends dans le frigo une bouteille de jus d'abricot et myrtille et reviens vers le patio. Je termine le jus de fruits et regarde le ciel s'assombrir, et, lorsque je me retourne, je vois que Christie et Martin sont probablement dans la chambre de Martin, sans doute nus sur des draps beiges, avec la chaîne allumée, Jackson Browne qui chante tranquillement. Je vais jusqu'à Randy et le regarde.

« Tu veux aller manger quelque chose ? »

Il ne répond pas.

« Tu veux aller manger quelque chose ? »

Il rit, les yeux toujours fermés.

« Tu veux aller manger quelque chose ? » je répète.

Il attrape le numéro de *GQ* et, sans cesser de rire, il s'en sert pour se cacher le visage.

« Tu veux aller manger quelque chose ? » je redemande.

Sur la couverture du magazine il y a un John Travolta et on dirait qu'il est lui aussi allongé sur le sol, qu'il rigole, défoncé, et qu'il ne porte pour tout vêtement qu'un jean effrangé. Je détourne les yeux vers l'écran de télé où je vois un avion miniature dans lequel est installée une star du rock qui essaie de comprendre le fonctionnement des instruments de bord d'un air faussement désespéré tout en chantant pour les beaux yeux d'une fille qui ne le regarde même pas et se fait les ongles. Je sors de l'appart et descends Wilshire en voiture jusqu'à un bistro de Beverly Hills appelé justement Bistro de Beverly Hills où je commande un thé glacé et une salade.

Je me réveille à onze heures vingt dans une sorte de stupeur, complètement abruti, et, en entrant dans la cuisine à la recherche d'un jus d'orange et d'allumettes pour mon bong, j'y trouve une note écrite sur le papier à en-tête de l'hôtel de Beverly Hills qui m'invite à aller déjeuner avec quelqu'un dans une maison des collines qui dominent Sunset Boulevard ; quelqu'un y est en train de tourner une vidéo pour un groupe appelé les English Prices. On m'a laissé une adresse et des indications et, après une heure de chaise longue sur le balcon, à rêvasser au soleil dans mon short, à écouter de loin le son des clips qui défilent sur l'écran de télé dans un murmure interminable et apaisant, je prends la décision de me rendre à cette invitation. Avant mon départ, Spin téléphone et me dit que, depuis que Lance est parti au Venezuela, il a eu beaucoup de mal à trouver de la bonne coke, qu'il y a plein de gens qui ont la trouille dans la ville et qu'il pourrait bien quitter l'USC s'il n'arrive pas à dénicher la bonne Mercedes cet automne, et il ajoute que le service, chez Spago, ne s'arrange pas.

« Mais qu'est-ce que tu veux ? je dis en éteignant la télé.

— De la coke. N'importe quelle qualité. Cinq grammes.

— Je peux t'avoir ça... euh... pour samedi.

— Mon pote, dit Spin, il me la faut avant.

— Pas samedi ? Alors quand ?

— Ce soir, par exemple.

— Vendredi, par exemple ?

— Plutôt demain.

— Plutôt vendredi, alors, je dis en soupirant, je pourrais te l'avoir pour ce soir, mais je n'en ai pas vraiment envie.

— Mec, dit-il en soupirant à son tour, mauvais deal, mais d'accord.

— OK ? Bon, alors viens vendredi quand tu voudras.

— Vendredi ? D'accord. Merci. Il y a plein de gens qui ont la trouille dans cette ville,

— Ouais, je lui dis, je sais, je sais de quoi tu parles.

— Alors vendredi, sûr ?

— Vendredi. »

190

Je gare ma voiture à l'extérieur et grimpe les marches du porche d'entrée. Deux filles, jeunes, bronzées, blondes, vêtues de sweat-shirts déchirés, sont assises sur les marches et regardent le ciel sans dire un mot. Elles ne me jettent pas un regard quand je passe. J'entends de la musique venant d'en haut. Je monte lentement l'escalier vers l'étage et entre dans une grande pièce qui semble occuper tout le second. Je reste dans l'embrasure de la porte et regarde Martin qui parle avec un cameraman et montre Leon d'un geste — c'est le chanteur vedette des English Prices ; il fume une cigarette et tient un revolver d'enfant dans une main et dans l'autre un petit miroir qu'il utilise sans arrêt pour vérifier sa coiffure. Derrière lui, il y a une longue table vide et derrière cette table le reste du groupe ; quelqu'un a peint la toile de fond derrière eux en rose pâle avec des bandes vertes et Martin se dirige vers Leon, qui range son miroir après que Martin lui a donné une tape sur le poignet et lui tend son revolver. J'entre et m'appuie contre un mur en prenant soin de ne pas marcher sur les nombreux câbles qui jonchent le sol. Une fille est assise sur un tas de coussins près de moi, elle est jeune, bronzée, blonde, elle porte un T-shirt déchiré et un bandeau rose qui retient une lourde chevelure, et quand je lui demande ce qu'elle fait là, elle répond qu'elle connaît Leon un peu, sans me regarder ; je détourne les yeux et regarde maintenant Martin qui est sur la table, se laisse rouler par terre, regarde la caméra, pointe le revolver d'enfant vers l'objectif, puis Leon roule à bas de la table à son tour, regarde la caméra, pointe le revolver d'enfant vers elle, puis Martin recommence, puis c'est le tour de Leon et ainsi de suite. Leon est maintenant debout, les mains sur les hanches, il secoue la tête, et Martin, allongé par terre, regarde la caméra, me voit, se lève, vient jusqu'à moi, laissant par terre le revolver que Leon ramasse, flaire ; il n'y a personne dans la pièce.

« Qu'est-ce qui se passe ? demande Martin.

— Tu m'as laissé un mot, à propos d'un déjeuner.

— Moi ?

— Ouais, tu m'as laissé un mot.

— Ça ne doit pas être moi.

— J'ai pourtant vu un mot, je dis en hésitant.

— Eh bien, c'est qu'on t'en a laissé un, alors. » Il n'a pas l'air très sûr non plus. « Puisque tu le dis. Mais si tu continues à dire que c'est moi, tu vas me foutre les boules.

— Je suis presque sûr qu'il y avait une note. J'ai parfois des hallucinations, mais pas aujourd'hui. »

Martin regarde Leon d'un air las. « Bon, OK, je serai libre dans... disons vingt minutes. » Il appelle le cameraman. « La machine à fumée est toujours pétée ? »

Sur le sol, le cameraman répond : « La machine à fumée est pétée.

— OK, dit Martin en regardant sa Swatch, je veux finir cette prise et... » sa voix monte un peu, « et Leon n'est vraiment pas très fortiche, n'est-ce pas, Leon ? » Martin se frotte lentement le visage.

De l'autre côté de la pièce, Leon regarde vers nous, jette un coup d'œil à son revolver et avance lentement dans la direction de Martin.

« Martin, je ne vais pas sauter de cette merde de table sur cette merde de moquette, regarder cette merde de caméra et je ne ferai pas de clin d'œil. Pas question. Tout ça est complètement merdique. Merde.

— Tu as dit *merde* cinq fois, espèce de connard, dit Martin.

— C'est pas vrai, réplique Leon.

— Et tu vas recommencer, mon petit pote, tu vas me recommencer tout ça, dit Martin d'une voix sans réplique.

— Non, Martin, non, c'est nul, je ne le ferai pas.

— Tu as pourtant été dans un clip avec des grenouilles qui chantaient, dit Martin, dans un autre clip tu te changeais successivement en un arbre aux grands yeux, en assiette pleine d'eau, et en banane énorme et bavarde, t'as pas oublié, hein ? »

Un des membres du groupe intervient : « Il a raison.

— Et alors ? » Leon hausse les épaules. « Rocko, tu as un herpès.

— Est-ce que vous avez oublié qui dirige ce clip ? demande Martin à la ronde

— Eh ! c'est moi qui ait écrit cette chanson, putain ! » dit Leon en regardant la fille qui le connaît un peu et reste assise sur un tas de coussins. Elle sourit à Leon, qui la regarde, embarrassé, détourne les yeux, la regarde encore et ainsi de suite.

« Leon, écoute, reprend Martin, le clip perd tout son sens sans cette scène.

— Mais tu ne comprends pas ! Je te dis que je *ne veux pas* que ce clip ait un sens. Il n'a pas besoin d'avoir un sens, poursuit Leon. Qu'est-ce que tu racontes ? Du sens ! Bon Dieu, merde ! » Leon me regarde. « Tu sais ce que ça veut dire du sens ?

— Non.

— Tu vois, rétorque Leon en regardant Martin d'un air accusateur.

— Tu veux que tous ces retardés de... disons du Nebraska regardent ton clip sur MTV la gueule ouverte sans comprendre que c'est une grosse blague, qu'ils croient qu'après que tu as tué ton amie d'un coup de revolver dans la tête, et le type avec qui elle sortait, qu'ils croient, après ça, que c'est ce que tu voulais ? Mais, Leon, tu ne l'as pas fait exprès. Tu aimais la fille sur qui tu as tiré, c'était un don du ciel pour toi, Leon. Ton image, Leon ! Je suis juste en train de construire ton image, Leon, OK ? Celle d'un gars simple et gentil d'Anaheim, Californie, qui est si paumé que le spectateur en est ému. OK ? Restons-en là. Il a fallu pas moins de quatre mois pour écrire ce script de merde, soit une minute par mois, c'est plutôt un record, non, et c'est pour ton image, insiste Martin. L'image ! l'image ! l'image ! »

Je me mets les mains sur la tête et regarde Leon qui n'est pas tellement différent du Leon que j'ai vu avec Tim chez Madame Wong mardi dernier, peut-être pas tout à fait le même pourtant, mais je ne pourrais pas dire en quoi.

Leon regarde par terre, soupire, regarde la fille, puis moi, puis Martin, et je comprends alors que je n'arriverai pas à déjeuner avec Martin, ce qui est quand même regrettable.

« Leon, dit Martin, je te présente Graham. Graham, Leon.

— Salut, je dis doucement.

— Ouais ? » marmonne Leon.

Il y a une pause plus longue, très franche cette fois. Le cameraman se lève, puis se rassied sur le sol, et allume une cigarette. Le groupe reste debout, sans mouvement visible, les yeux fixés sur Leon. Le cameraman répète : « La machine à fumée est pétée », et l'une des filles restée dehors sur les marches du perron entre et demande si quelqu'un aurait vu un T-shirt sur lequel est écrit KAJAGOOGOO et si Martin a encore besoin d'elle.

« Non, mon cœur, j'ai tiré de toi tout ce que je pouvais, dit Martin. Tu as été formidable, je te passe un coup de fil. »

Elle hoche la tête, sourit et s'en va.

« Elle est sexe, constate Leon en la regardant s'éloigner, tu te l'es faite, Rocko ?

— J' sais pas, réplique Rocko.

— Ouais, elle est sexe, elle a toujours la forme, presque tous les gens que je connais l'ont baisée, c'est un ange, elle a du mal à retenir son numéro de téléphone, le nom de sa mère, et elle oublie même de respirer, dit Martin avec un immense soupir.

— Ce qu'il y a, tu vois, c'est que je pourrais la baiser sans problème », continue Leon.

La fille assise sur les coussins et qui connaît un peu Leon baisse la tête.

« Tu pourrais aussi bien baiser un puits, dit Martin en bâillant et en s'étirant, un puits pourvu qu'il soit propre et qu'il ait un peu de talent, mais un puits quand même. »

Je mets de nouveau les mains sur la tête, puis dans les poches de mon jean.

« Bon, s'exclame Martin, tout ça est très divertissant, mais qu'est-ce qu'on fout ici, Leon, hein, qu'est-ce qu'on fout ici ?

— Je ne sais pas, dit Leon en haussant les épaules. Qu'est-ce qu'on fout ici ?

— C'est moi qui pose la question. Qu'est-ce qu'on fout ici ?

— Je ne sais pas, répète Leon en haussant à nouveau les épaules, je ne sais pas, demande-lui. »

Martin me regarde.

« Je ne sais pas non plus, je dis, surpris.

— Tu ne sais pas ce que nous foutons ici ? »
Martin regarde de nouveau Leon.

« Merde, dit Leon, on en parlera plus tard, faisons
une pause. J'ai un peu faim. Est-ce que quelqu'un
ici connaît quelqu'un qui aurait une bière ? dit-il au
cameraman.

— La machine à fumée est pétée », marmonne le
cameraman.

Martin soupire. « Écoute-moi bien, Leon. »

Leon regarde maintenant son reflet dans le miroir
à main, remet de l'ordre dans ses cheveux, raides,
blonds, une immense choucroute.

« Leon, tu m'écoutes, chuchote Martin.

— Oui, murmure-t-il.

— Tu m'écoutes ? » murmure Martin.

Je commence à m'éloigner, me dirige vers la
porte, passe devant la fille assise sur les coussins,
qui est en train de se verser sur la tête une bouteille
d'eau avec un air dont je ne sais pas s'il est vraiment
triste. Je descends l'escalier, passe devant les filles
assises sur les marches et l'une d'elles dit « belle
Porsche » et l'autre « beau cul » et me voilà au
volant. Je démarre.

Après avoir terminé une salade composée de dix
sortes de laitues différentes — c'est le seul plat
qu'elle a commandé —, Christie me raconte que
Tommy de Liverpool a été découvert quelque part
au Mexique la semaine dernière et qu'il s'agit peut-
être d'un crime puisque son corps était presque
entièrement vidé de son sang, que sa gorge était
tranchée, que ses organes vitaux avaient disparu,
même si la version officielle des autorités mexicaines est que Tommy est « mort noyé » et que, s'il ne
s'est pas noyé, c'est sans doute un « suicide », mais

Christie, elle, pense que Tommy ne s'est certainement pas noyé, et nous sommes dans un restaurant
sur Melrose Avenue, je n'ai plus de cigarettes, et
Christie garde ses lunettes de soleil, quand elle
m'explique que Martin est un type vraiment sympa,
aussi je ne peux pas voir ce que voient ses yeux, ce
qui, de toute façon, ne m'apprendrait pas grand-
chose. Elle parle d'une immense culpabilité et l'addition arrive.

« Laisse-tomber, je dis, dans le fond, je ne suis
pas mécontent que tu en aies parlé.

— C'est un type bien, ajoute-t-elle.

— Ouais, je dis, c'est un type bien.

— J'en sais rien.

— T'as couché avec lui ? »

Elle prend une grande inspiration, puis me
regarde : « Il est censé "habiter" chez Nina.

— Mais il m'a dit que Nina était, euh... folle, je
lui réponds. Martin m'a dit que Nina est folle et
qu'elle fait faire de l'aérobic à son fils qui a quatre
ans ! » Silence. « Martin m'a dit qu'il a dû l'aider à
faire ses mouvements...

— C'est pas parce que c'est un enfant qu'il doit
être en mauvaise condition physique, commente
Christie.

— D'accord.

— Graham, se lance-t-elle, il ne se passe rien
avec Martin. Tu étais à cran la semaine dernière. Je
ne pouvais pas rester sans rien dire, assise avec mon
avocat géant entre les mains !

— Mais est-ce qu'on ne sort pas ensemble, ou
quelque chose comme ça ? je lui demande.

— Je suppose que si, soupire-t-elle. On est
ensemble là. Je mange une salade avec toi. » Elle
s'interrompt, abaissant les Wayfarers de Martin,
mais je ne la regarde plus de toute façon.

« Oublie Martin. D'ailleurs, qu'est-ce que ça peut faire si on voit d'autres gens ? Ne me dis pas que ça nous fait quelque chose.

— Qu'on les voie, ou qu'on baise avec eux ?

— Qu'on baise. » Elle soupire. « Enfin, je crois. » Silence. « Oui, je crois.

— OK, je dis, qui sait, hein ? »

Plus tard, en me passant de la crème solaire sur le ventre, elle me demande en souriant : « Ça t'a fait quelque chose que je couche avec lui ?

— Non », je dis finalement.

Des coups de feu me réveillent. Je regarde du côté de Martin, allongé sur le ventre, nu, respirant profondément, et de Christie allongée entre nous avec deux chats à poil long et un cochon d'Inde que je n'ai encore jamais vus ici. Christie ne porte rien d'autre qu'un petit collier en diamants. Deux autres coups de feu sont tirés et ils bougent l'un et l'autre un peu dans leur sommeil. Je sors du lit, passe un bermuda, et un T-shirt où il y a marqué FLIP, je prends l'ascenseur pour descendre dans le hall d'entrée, je mets mes lunettes noires tellement mes yeux sont gonflés. À l'instant où la porte s'ouvre, deux autres coups de feu sont tirés. Je traverse lentement le grand hall plongé dans le noir.

Le veilleur de nuit, un jeune type blond et bronzé d'environ vingt ans, un casque de Walkman autour du cou, est debout près de la porte et regarde prudemment dehors. Sur Wilshire, sept ou huit véhicules de police sont garés devant l'immeuble d'en face. Un autre coup de feu est tiré de l'intérieur de l'immeuble. Le veilleur de nuit regarde fixement, la bouche ouverte, ébahi, le Walkman joue un air de

Dire Straits. Une grosse lampe bleue est allumée derrière nous sur le bureau de la réception.

« Qu'est-ce qui se passe ? je demande.

— Je ne sais pas. Je crois qu'un type est avec sa femme là-dedans et menace de la tuer. Il l'a peut-être même déjà descendue. Il a peut-être aussi déjà liquidé des tas de gens. »

Je m'approche de lui surtout parce que j'aime la chanson qui sort de son Walkman. Il fait tellement froid dans le hall que nos haleines se condensent.

« Je crois qu'une équipe de psychologues est entrée dans l'immeuble pour essayer de le raisonner, dit le veilleur de nuit. Je pense que vous feriez mieux de ne pas ouvrir la porte.

— D'accord. »

Nouveau coup de feu. Arrivée d'une voiture de police de plus. D'une ambulance. Celle qui a été ma belle-mère pendant dix mois et avec qui j'ai fini par coucher deux fois sort d'un fourgon, et s'installe devant une caméra, des projecteurs braqués sur elle. Je bâille et tremble de froid.

« Est-ce que les coups de feu vous ont réveillé ? interroge le veilleur de nuit.

— Ouais, j'acquiesce.

— Vous êtes le type du onzième, non ? Et le type qui met en scène des clips vidéo, Jason, ou un nom comme ça, vous rend souvent visite, hein ?

— Martin, peut-être.

— Oui, c'est ça, salut, je suis Jack.

— Et moi Graham. » Nous nous serrons la main.

« J'ai parlé une ou deux fois avec Martin, dit Jack.

— Et... de quoi ?

— Il connaît bien un type dans un groupe où j'ai failli jouer. »

Il sort de sa poche un paquet de cigarettes et m'en

offre une. Trois coups de feu sont tirés et un hélico commence à dessiner des cercles dans le ciel.

« Qu'est-ce que tu fais comme job ? demande-t-il.

— Étudiant. »

Il allume ma cigarette. « Ah, et où ça ?

— Je vais à l'université à... euh... à l'USC.

— Ah ouais ? Et en quelle année ? Première ?

— Je passe en deuxième année cet automne, enfin, je crois.

— Ah ouais ? Super ! » Jack réfléchit à tout ça une bonne minute.

« Tu connais Tim Price ? Un blond. Plutôt bien foutu. Mais un sale type.

— Non, je ne vois pas. » À cet instant, on entend un horrible cri de l'autre côté de Wilshire et de la fumée envahit l'avenue.

« Et Dirk Erickson ? »

Je fais semblant de réfléchir une minute et je dis : « Non, je ne vois pas, mais je connais un type qui s'appelle Wave. » Silence. « Sa famille possède presque tout le lac Tahoe. »

Une autre voiture de police arrive.

« Tu vas à l'université ? je lui demande.

— Non, en fait, je suis acteur.

— Ah ouais ? Et dans quoi tu as joué ?

— Une pub pour du chewing-gum et j'ai aussi été le copain de la fille dans une pub de Clearasil. » Il hausse les épaules. « Sauf si tu es prêt à faire des trucs vraiment horribles, c'est dur de trouver un job dans cette ville, mais moi j'y suis prêt.

— Oui, je vois.

— J'ai vraiment envie de jouer dans des clips, dit Jack.

— Ouais, mon pote, des clips.

— C'est pour ça que Mark est un contact très

important. » On entend un grand bruit, puis encore de la fumée et une autre ambulance.

« Tu veux dire Martin ? je dis. Ça pourrait t'aider de retenir les noms.

— Ouais, Martin, un contact important.

— Oui, absolument », je dis lentement.

Je finis ma cigarette et reste debout près de la porte, attendant d'autres coups de feu. Quand c'est fini, Jack me propose un joint, je fais non de la tête et dis que j'ai envie de jus de fruits et d'un peu plus de sommeil. « Il y a dans mon lit deux gros chats tigrés et un cochon d'Inde que je n'avais jamais vus », je dis. Silence. « Et j'ai envie de beaucoup de jus de fruits.

— Ouais, bien sûr, je comprends, dit le veilleur de nuit. Du jus de fruits, ouais, c'est bon. »

Le joint sent bon et j'ai envie de traîner un peu. Encore un coup de feu, des cris, et je me dirige vers l'ascenseur.

« Hé, je crois qu'il va se passer quelque chose, déclare le veilleur de nuit au moment où j'entre dans l'ascenseur.

— Quoi donc ? je lui demande en retenant les portes.

— Peut-être qu'il va se passer quelque chose, répond-il.

— Ah ouais ? » je dis sans conviction. Je regarde le veilleur de nuit, immobile dans le hall, un joint aux lèvres, puis la lampe bleue, et nous attendons patiemment.

Conférence téléphonique : ma mère, l'avocat de mon père, un type du studio de cinéma m'appellent, il est onze heures le lendemain matin. J'écoute puis je leur dis que je prendrai l'avion de Las Vegas le jour même et je raccroche pour réserver mon vol. Martin se réveille et me regarde en bâillant. Je me demande où Christie est passée.

« Oh, merde », dit Martin. Il grogne et s'étire. « Quelle heure est-il ? Qu'est-ce qui se passe ?

— Il est onze heures. Mon père est mort. »

Long silence.

« Tu... tu avais... un père ? dit Martin.

— Ouais.

— Et alors ? » Il s'assied sur le lit, se rallonge, embarrassé. « Comment il est mort ?

— Accident d'avion. »

Je prends la pipe sur la table de nuit et cherche un briquet.

« Tu es sérieux ? demande-t-il.

— Ouais.

— Tu vas bien ? Tu encaisses le coup ?

— Oui, je pense, je dis en tirant sur la pipe.

— Ça alors ! lance-t-il, je... je suis désolé pour toi. » Silence.

« Est-ce que je dois l'être ?

— Non », je lui réponds en faisant le numéro des renseignements de l'aéroport de Los Angeles.

Je marche en direction du lieu de l'accident en compagnie d'un spécialiste du Cessna 172, qui doit faire des photos de l'état de l'appareil pour sa compagnie, et d'un ranger qui est notre guide sur cette montagne et se trouve la première personne à être arrivée sur les lieux vendredi. Je rencontre ces deux personnes dans la suite de mon hôtel et nous prenons une Jeep jusqu'au milieu de cette montagne. De cet endroit nous suivons un sentier étroit, pentu et couvert de feuilles mortes. En montant, je parle au ranger, un jeune type d'environ dix-neuf ans, mon âge, assez beau. Je veux savoir dans quel état était le cadavre quand il l'a trouvé.

« Vous voulez vraiment le savoir ? demande-t-il, avec un sourire sur son visage calme.

— Oui. » J'acquiesce d'un signe de tête.

« Eh bien, ça paraît bizarre, mais quand je l'ai vu la première fois, eh bien, j'ai cru voir Darth Vader en réduction, dit-il en se grattant la tête.

— Quoi ?

— Ouais, Darth Vader. En plus petit. Vous voyez ? Dans *La Guerre des étoiles*, OK ? » dit-il avec un petit accent impossible à situer.

Le ranger avec lequel je suis en quelque sorte en train de flirter continue : le torse et la tête étaient complètement dépourvus de peau, mais étaient assis bien droits. Ce qui restait des os des bras reposait sur l'emplacement du manche. Il ne restait rien de la cabine. « Le torse était exactement ici, sur le sol. Il était noir, entièrement brûlé jusqu'aux os presque partout. » Le policier arrête de marcher et regarde la montagne. « Ouais, c'était pas beau à voir, mais j'ai vu pire.

— C'est-à-dire ?

— J'ai vu une fois une procession de grosses fourmis noires qui transportaient l'intestin d'un mort jusqu'à leur reine.

— Ça doit être... impressionnant.

— Ouais, plutôt.

— Quoi d'autre ? je dis. Darth Vader ! La vache ! »

Le ranger me regarde, puis regarde le spécialiste des appareils devant nous et il dit, sans cesser de marcher sur le sentier : « Ça vous intéresse ?

— Oui.

— Je vous ai à peu près tout dit. Il y avait beaucoup de mouches. Et l'odeur. Mais c'est tout. »

Après quarante minutes de marche, nous atteignons le lieu du crash. Je cherche des yeux les restes de l'appareil. La cabine a été presque entièrement détruite, et seuls les bouts des ailes et la queue sont encore intacts. Mais il n'y a plus de nez et le moteur est écrabouillé. Personne n'a pu retrouver l'hélice. Pas de trace non plus du tableau de bord, pas même des morceaux de métal fondu. On dirait que la structure en alu de l'avion s'est écrasée sous le choc et a fondu.

Les petits Cessna étant très légers, j'arrive à soulever la queue et à la retourner. Le spécialiste explique que l'incendie qui a détruit l'avion a été sans doute causé par des impacts sur les réservoirs de carburant. Sur le Cessna, ils se trouvent sur les deux côtés de la cabine, sur les ailes. Je découvre aussi dans les cendres des bouts d'os et des restes de l'appareil photo de mon père. Je suis appuyé contre un rocher près du ranger tandis que le spécialiste prend en hésitant des photos de nous ainsi que je le lui ai demandé.

Je parle aussi, plus tard, le même jour, après un petit somme, avec le médecin légiste qui me dit que le corps a été secoué pendant son transport vers le bas de la montagne dans un sac plastique, et il m'explique que ce qu'il a reçu au labo était très différent de ce qu'il avait lu dans le rapport. Il a trouvé la plupart des organes non identifiables à cause de la violence de l'impact et des dommages sévères causés par les brûlures. Comme le corps n'est pas identifiable, on doit reconnaître mon père par ses fausses dents. Il avait perdu les vraies à vingt ans dans un accident de voiture, me dit-on.

Dans l'avion au retour vers L.A., j'ai pour voisin un petit vieillard qui n'arrête pas de s'enfiler des

Bloody Mary et de marmonner tout seul. Au moment de la descente il me demande si c'est ma première visite à L.A., je dis « ouais », il acquiesce, je remets mon casque et j'écoute Joan Jett and the Blackhearts qui chantent « *Do You Wanna Touch Me ?* », et je stresse un peu quand l'appareil traverse une épaisse couche de brouillard pour atterrir. En me levant pour prendre mon sac de voyage dans le compartiment au-dessus de ma tête, je laisse tomber mon briquet sur les genoux du vieillard, qui me le rend en souriant et en tirant un peu la langue, me propose un rôle dans un film porno qui mettra en scène des Noirs jeunes et très beaux. Dans mon sac, il n'y a que deux T-shirts, une paire de jeans, un costume, un numéro de *GQ*, une lettre non ouverte de mon père qu'il n'a jamais expédiée, ma pipe, une poignée de cendres dans un petit tube à film photographique, le reste ayant été perdu au casino du Caesar's Palace au black jack. Je referme le panneau du compartiment. Le vieillard, tout ridé et ivre, me fait un clin d'œil et dit : « Bienvenue à L.A. », et je réponds : « Merci, mon pote. »

J'ouvre la porte de l'appart, entre, allume la télé, et pose mon sac de voyage dans l'évier. Pas de Martin en vue. Je sors du frigo une bouteille de jus de pomme et d'abricot et m'installe sur le balcon en attendant le retour de Christie ou de Martin. Je me lève, ouvre mon sac pour dénicher le numéro de *GQ*, le lis sur le balcon, finis le jus de fruits. Le ciel s'obscurcit. Je me demande si Spin a téléphoné. Je n'entends pas Martin ouvrir la porte. La machine à glaçons dans le frigo déverse des glaçons en tintinnabulant.

« Il a fait chaud aujourd'hui, dit Martin qui tient

à la main une serviette de plage et un ballon de volley.

— Vraiment ? Je croyais qu'il avait neigé.

— Tu as été jouer ?

— J'ai perdu environ vingt mille dollars. C'était bien. »

Au bout d'un moment, Martin dit : « Spin a appelé. »

Je reste silencieux.

« Il est un peu remonté contre toi, Graham, tu aurais dû l'appeler.

— C'est pas un drame, je vais l'appeler.

— Nous avons une table réservée chez *Chinois*[1] à neuf heures. »

Je le regarde et dis : « Super. »

La musique du téléviseur parvient jusqu'au balcon. Martin se détourne et rentre dans l'appartement. « Je m'épluche une grenade, et je prends une douche, OK ?

— Ouais, OK » Je quitte moi aussi le balcon, essaie de dénicher le numéro de Spin, mais je change d'avis et suis Martin dans la salle de bains, et plus tard je trouve le jean Guess de Christie près du lit de Martin, et, sous le jean, une baïonnette.

Le lendemain, nous sommes chez Carny's et Martin mange un cheeseburger ; il ne veut pas croire que la fille qui fait la couverture du numéro de *People* de cette semaine soit mon ex-petite amie, même quand je lui dis que moi aussi j'ai du mal à y croire. Je finis mes frites, avale un peu de Coca-Cola, et dis à Martin que j'ai envie de me défoncer. Martin lui aussi a couché avec la fille qui est sur la couver-

---

1. En français dans le texte.

ture. Je regarde passer une Mercedes rouge qui roule lentement dans la chaleur, avec au volant un type torse nu, un type avec lequel Martin a aussi couché, et pendant une seconde le reflet de Martin et le mien apparaissent sur la portière de la voiture. Martin commence à se plaindre qu'il n'a pas encore réussi à finir la vidéo des English Prices, que Leon fait des histoires, que la machine à fumée est pétée, qu'elle est sûrement irréparable, que Christie est pénible, que le jaune est sa couleur favorite, qu'il est récemment devenu ami d'une roulure nommée Roy.

« Pourquoi tu fais ces trucs ? je dis.

— Les clips ? pourquoi ?

— Ouais.

— Je ne sais pas. » Il me regarde, puis regarde les voitures qui passent sur le boulevard. « Tout le monde n'a pas un papa et une maman pleins aux as. Une maman, je veux dire. » Il prend un peu de mon Coca et ajoute : « Et tout le monde n'est pas dealer.

— Mais tes parents sont pleins aux as, je proteste.

— Pleins aux as, on peut interpréter ça de plusieurs façons, mon pote », dit-il.

Je soupire ramassant une serviette de table et dis : « Tu es... oui, une vraie énigme.

— Écoute, Graham, je suis déjà assez emmerdé de dormir chez toi, que tu paies les additions chez Nautilus, chez Maxfield's, tout ça. »

Une autre Mercedes rouge passe.

« Écoute, reprend Martin, après ces deux prochaines vidéos, je vais valoir cher.

— Cher ?

— Ouais, cher.

— Cher comment ? Un peu, beaucoup ?

— Peut-être beaucoup, peut-être même énormément, les English Prices, c'est un gros morceau. Ça n'arrête pas de passer sur MTV, et c'est la première partie du concert de Bryan Metro. C'est un gros truc.

— Ouais, je dis, cher et gros.

— Ouais, Leon est une star, c'est évident.

— Tu as couché avec Christie quand j'étais parti ? » je demande.

Il me regarde et grogne : « Mais bien sûr, mec, bien sûr que j'ai couché avec elle. »

Christie et moi sommes dans la queue d'un cinéma de Westwood. Il est presque minuit, il fait très chaud, et Westwood est plein de monde. Les trottoirs sont tellement bondés que la queue se mélange avec les passants et les gens qui sortent des magasins de chaussures, des cafés, et des marchands de posters. Christie mange une glace italienne et me dit que Tommy crèche en ce moment dans le Delaware et que c'était Monty qui a eu la gorge tranchée à San Diego, pas au Mexique, vidé de son sang, et non Tommy comme on le lui avait d'abord raconté, parce qu'elle a reçu de Tommy une carte postale avec Richard Gere dessus, mais que Corey, lui, a été retrouvé scellé dans un tonneau en métal enterré dans le désert. Elle me demande si le Delaware est un État des États-Unis, je lui dis que je n'en suis pas très sûr, mais que je suis sûr d'avoir vu Jim Morrison à une station-service ce matin sur Pico. Il buvait un soda et bichonnait sa bagnole. Christie finit sa glace, s'essuie les lèvres et se plaint de ses prothèses.

Devant nous, deux personnes parlent d'une grosse opération de police contre la drogue hier soir à Encino, ils disent que le Nouvel An s'approche à toute vitesse. Je regarde une jeune fille à l'air hispanique traverser l'avenue et se diriger vers le cinéma. Au moment où elle traverse à grandes enjambées, avec l'air de quelqu'un qui sait où il va, une Rolls noire décapotable manque de la renverser, freine brutalement et fait un dérapage. Sur le trottoir, les gens regardent sans rien dire. Une voix, féminine peut-être, dit : « Oh non ! » Le conducteur de la Corniche, un type bronzé, torse nu et portant une casquette de marin, un cigare à la bouche, crie : « Fais gaffe, espèce de tarée ! », et la fille, imperturbable, reprend sa marche sans broncher. J'essuie la sueur de mon front, observe la fille qui s'approche d'un palmier et s'appuie dessus ; son T-shirt blanc où le mot CALIFORNIA est marqué est trempé de sueur, ses seins sont soulignés par le coton mouillé, une croix en or pend à son cou, une petite croix, qui fait une vague lueur, et quand elle me remarque, qu'elle s'aperçoit que j'observe son visage lisse et brun, ses grands yeux noirs, son air calme et blasé, elle se détache de l'arbre et se dirige vers moi qui continue à la fixer du regard. Elle s'avance lentement sous le vent chaud, la foule s'écartant sur son passage, la transpiration séchant sur son visage à mesure qu'elle s'approche, et elle dit, les yeux écarquillés, dans un murmure rauque : « *Mi hermano*[1] ! »

Je ne dis rien et lui renvoie seulement son regard.

Elle répète à voix basse : « *Mi hermano !*

— Quoi ? dit Christie. Qu'est-ce que tu veux ? Tu la connais, Graham ?

— *Mi hermano !* » répète-t-elle d'une voix insistante, puis elle s'éloigne et je la perds de vue dans la foule.

---

1. Mon frère.

« Qui était-ce ? interroge Christie tandis que la queue s'ébranle vers la salle.

— Je ne sais pas, je dis en regardant l'endroit où la fille, qui valait bien la peine d'être suivie, a disparu.

— Vraiment, ils envahissent toute la ville, dit Christie. Elle devait être complètement défoncée. » Elle sort un ticket, me donne le mien. Les gens qui parlaient de l'opération contre la drogue à Encino et de l'année 85 se retournent et regardent Christie comme s'ils la reconnaissaient.

« Mais qu'est-ce qu'elle a dit ? je demande.

— *Mi hermano* ? Je crois que c'est une sorte d'enchilada de poulet avec beaucoup de piment. Ou une sorte de crêpe de maïs, qui sait ? » Elle hausse les épaules, mal à l'aise. « Ces prothèses me tuent, et il fait trop chaud. »

Nous entrons dans la salle et nous nous installons, et, après la fin du film, nous descendons Wilshire en voiture vers l'appartement, et, à un feu rouge, cinq punks mexicains portant des T-shirts avec des croix noires et des crânes couleur soufre regardent furieusement Christie et moi dans la BM décapotable. Je leur rends leur regard, et, une fois arrivés à l'appartement, Christie et moi faisons l'amour. Martin reste un moment à nous regarder.

Ce soir, Martin parle d'un nouveau club ouvert sur Melrose, en bas de l'avenue, et nous descendons Melrose dans la décapotable que Nina Metro lui a offerte pour Halloween ; comme Martin connaît le propriétaire du club, on nous laisse entrer sans histoires. Les Animotions gueulent à fond, les gens dansent, la scène de la douche dans *Psycho* passe et repasse sur les écrans vidéo placés au dessus du bar, et nous nous faisons une ligne de coke dans les toilettes ; je fais la connaissance d'une fille appelée China qui me dit que je dois être plus grand que Billy Idol et soudain je bute contre Spin.

« Hé, qu'est-ce que tu fabriques ? dit-il en hurlant pour couvrir le bruit de la sono et en regardant Janet Leigh se faire tuer encore et encore sur l'écran.

— Las Vegas. Dans une tornade.

— Ouais ? T'aurais pas deux ou trois grammes ?

— Bien sûr, ce que tu voudras.

— Ouais, dit-il en s'éloignant. Je dois dire un mot à China. Je crois que Madonna est là.

— Madonna. Où ça ? »

Il ne m'entend pas. « Super, je t'appelle vendredi. On ira chez Spago.

— Je ne suis pas pressé », je dis.

Je fais un geste et il s'éloigne, et je finis par danser avec Martin et deux blondes qu'il connaît et qui bossent chez RCA. Puis nous repartons tous à l'appartement, nous nous bourrons de coke et nous prenons chacun notre tour avec ces trois lycéennes que nous avons rencontrées dehors, attendant dans le parking, juste en face du club sur Melrose.

Je vais en voiture au Beverly Hills Center et y traîne, m'attardant dans les magasins de vêtements, regardant vaguement des magazines dans les kiosques et, vers six heures, je suis assis dans un restaurant vide au sommet de l'immeuble, je commande un verre de lait et un gâteau, que je ne mange pas, ne sachant même pas pourquoi je l'ai commandé. À sept heures, après la fermeture de la plupart des boutiques, je décide d'aller voir un film dans une des quatorze petites salles de cinéma au sommet de l'immeuble, tout près du restaurant. Je paie mon entrée, achète quelques friandises et m'assieds dans une petite salle, je regarde le film dans un total abrutissement. À la fin du film, je décide de revoir le début, car j'ai oublié tout ce qui s'est passé avant que je commence à me concentrer. Après avoir revu les quarante premières minutes, je vais dans une salle semblable, mais plus petite encore, me fichant pas mal que les ouvreuses me voient ou non, et je reste là dans le noir, respirant lentement. Vers minuit, je suis sûr d'être allé dans pratiquement toutes les salles quelque temps et je pars. L'entrée par laquelle j'étais arrivé est fermée, celle située de l'autre côté de la galerie aussi. Je vais au premier étage et trouve les deux sorties également fermées. Je descends l'escalator, qui est arrêté, jusqu'au rez-de-chaussée, et tombe sur une sortie qui est encore fermée. À l'opposé, enfin, je trouve une porte ouverte, je sors par là, vais jusqu'à ma Porsche et fonce jusqu'à la barrière de péage la plus proche, y jette mon ticket et allume la radio.

J'attends tout seul au croisement de Beverly et de Doheny, la radio à fond. Un jeune Noir sort en courant du parking du supermarché Hughes et passe près de ma voiture, poursuivi par deux employés et un gardien. Il jette quelque chose dans la rue et fonce dans l'obscurité de West Hollywood, suivi par les trois hommes. Je reste immobile dans la Porsche, tandis que le feu passe au vert et qu'une amarante traverse la route, je sors prudemment de la voiture, marche jusqu'au croisement et cherche ce que le jeune Noir a jeté.

Il n'y a aucune voiture en vue dans les quatre rues du croisement. Pas de bruit non plus sinon le grésillement des néons et les Plimsouls à la radio, et je ramasse le paquet. C'est un morceau de filet mignon et, en le regardant attentivement sous les néons, je vois du jus rouge qui coule de l'emballage en plastique jusque sur ma main et mon bras, tachant les poignets mousquetaires de la chemise de chez Comme des Garçons que je porte. Je repose la viande sur le sol, avec soin, m'essuie les mains sur mon jean et remonte dans la voiture. Je baisse le son de la radio, le feu repasse au vert, à l'orange, puis au rouge, et j'éteins la radio, mets une cassette et me dirige enfin vers l'appartement.

10

Les secrets de l'été

J'essaie de draguer cette garce blonde de la Valley chez Powertools ; elle est OK physiquement et a l'air de s'éclater même si elle ne boit pas tout à fait assez pour ça, et fait juste semblant d'être bourrée, mais je lui plais, comme à toutes les autres, et elle me raconte qu'elle a vingt ans.

« Ah oui, je lui dis. C'est ça. Tu as l'air vraiment jeune », même si je vois bien qu'elle n'a pas plus de seize ans, peut-être même quinze si c'est Junior qui filtre les entrées ce soir, et que c'est très excitant si on considère les perspectives à court terme. « J'aime les filles jeunes, je dis. Pas trop quand même ! Dix ? Onze ans ? Pas question ! Mais quinze ! Ouais, c'est cool. C'est peut-être le chemin le plus rapide pour aller en prison, mais tant pis ! »

Elle se contente de me regarder fixement comme si elle n'avait rien entendu, puis elle vérifie son rouge à lèvres avec son miroir de poche et me regarde encore, et elle me demande ce qu'est un wok, ce que veut dire « invisible ».

Je ne pense plus qu'à une chose, c'est à ramener cette garce chez moi à Encino, et je commence même à avoir un début d'érection en l'attendant pendant qu'elle est aux toilettes où elle raconte à ses copines qu'elle s'en va avec le plus beau type de la boîte alors que je suis au bar, que j'avale des vins rouges gazeux et que ma petite érection continue.

« Comment on appelle ces trucs-là ? je demande au barman, un mec de mon âge à l'air cool, en lui montrant mon verre.

— Du vin rouge gazeux !

— Attention, j'ai pas envie de me cuiter, je lui dis pendant qu'il sert une autre tournée à un groupe d'étudiants. Pas question. Pas ce soir ! »

Je me retourne pour regarder les danseurs et j'ai l'impression de m'être fait la disc-jockey il y a des siècles, mais je n'en suis pas sûr, et elle a mis un bon rap, et moi j'ai faim, et j'ai envie de me tirer et voilà la fille qui arrive, prête à filer.

« C'est la Porsche gris anthracite », je dis au voiturier, et elle est très impressionnée.

« Ça va être génial, je lui annonce. Je suis hyper bien », j'ajoute en essayant de ne pas paraître trop excité.

Elle met une cassette de David Bowie pendant qu'on roule vers la Valley. Je lui raconte une blague éthiopienne.

« Qu'est-ce qu'un Éthiopien avec des graines de sésame sur la tête ?

— C'est quoi un Éthiopien ?

— Un poids lourd ! je lui dis. Ça m'éclate ! »

On arrive à Encino. J'ouvre la porte du garage avec ma télécommande.

« Ouah ! elle lance, t'as une maison énorme ! » et puis, aussitôt : « Tu me reconduiras après ?

— Ouais, bien sûr, je dis en ouvrant une bouteille de blanc fumé. Certaines nanas sont vraiment stupides mais ça me déplaît pas pour la baise. »

On arrive dans la chambre, et elle se demande où

sont les meubles. « Ils sont où, les meubles ? dit-elle en geignant.

— Je les ai bouffés. Ferme-la, mets ton stérilet et allonge-toi », je lui dis en lui montrant la salle de bains, et j'ajoute : « T'auras de la coke après », même si je n'explique pas ce qu'après veut dire.

« Comment ça, mon stérilet ?

— Ben oui ! T'as pas envie d'être enceinte, quand même ? De donner le jour à un truc affreux. Un monstre ? Une bête, quoi ! C'est ça que tu veux ? je lui demande. Même ton avorteur préféré foutrait le camp ! »

Elle observe le lit, me jette un coup d'œil et elle va essayer d'ouvrir la porte de l'autre pièce.

« Pas question, je lui dis. *Pas cette pièce-là !* » Je la pousse vers la porte de la salle de bains. Elle me regarde en faisant toujours semblant d'être ivre, puis entre, referme la porte. Je l'entends péter.

J'éteins les lumières avec la pointe de mon Bic, j'allume des bougies que j'ai achetées hier soir à la Pottery Barn, je me déshabille, je me touche, je suis déjà en pleine érection, je m'étire sur le lit, et j'attends, maintenant j'ai faim d'elle.

« Viens, viens, viens ! »

J'entends le bruit de la chasse d'eau, elle se sert du bidet et elle sort de la salle de bains, chaussures à la main, et paraît surprise de me trouver allongé sur le lit avec cette énorme érection, mais elle ne bronche pas. Elle n'avait pas vraiment envie de ça, et elle sait très bien qu'elle joue à l'extérieur, elle sait aussi qu'il est trop tard pour renoncer, et ça m'excite davantage encore, et je rigole et elle se déshabille, en demandant : « Où est la coke ? Où est la coke ? » et je réponds : « Après, après », en l'attirant à moi. Elle n'a pas vraiment envie de baiser et elle gagne du temps en me prenant dans sa bouche, et je la laisse faire un moment même si je ne sens pas grand-chose, et après je me mets à la baiser très, très fort, regardant son visage au moment où je jouis et, comme toutes les autres, elle a l'air terrifiée quand elle voit mes yeux noirs et brillants, mes dents horribles, ma bouche tordue (que Dirk compare à l'«anus d'une pieuvre»), et je crie au-dessus d'elle, le matelas en dessous de nous se tache de son sang et elle se met à hurler et je lui envoie des directs à la figure jusqu'à ce qu'elle s'évanouisse, et je n'ai plus qu'à la traîner vers la piscine où, à la lumière glauque des projecteurs qui sont au fond, et avec le renfort de celle venue de la lune, haut au-dessus de Encino ce soir, je peux la saigner.

Je rencontre Miranda à l'Ivy, sur Robertson, lors d'un dîner tardif. Selon ses propres termes, elle est «absolument fabuleuse». Miranda a «quarante ans», des cheveux noirs tirés en arrière, avec une mèche blanche sur le côté, un teint pâle, des pommettes hautes magnifiques, des dents blanches éclatantes, et elle porte une robe de velours de Lagerfeld, un modèle original, garni de perles montées à la main, qu'elle a acheté chez Bergdorf Goodman à New York la semaine dernière quand elle s'est rendue à une vente aux enchères pour une bouteille d'eau chez Sotheby's, qui a fini par partir pour un million de dollars, et qu'elle est allée payer son écot lors d'une réception destinée à une collecte de fonds pour George Bush, réception «formidable» selon Miranda.

« Tu as beau avoir dans les vingt ans de plus que moi, tu as toujours l'air incroyablement jeune, je lui dis. Tu es vraiment une des personnes avec qui je préfère sortir à L.A. »

Ce soir nous mangeons dans le patio, il fait très chaud et nous discutons de Donald, dont la photo est utilisée de manière un peu provocante à notre avis sur une double page dans le numéro d'août de *GQ*, et du fait que, si on regarde attentivement le mannequin près de lui sur la photo, on voit quatre petits points rouges sur son cou bronzé que l'aérographe a oublié de supprimer.

« Tu sais, Donald est vraiment méchant », dit Miranda.

J'opine et je dis : « Tu connais la définition de "superflu" ? Des chocolats à la menthe éthiopiens à la fin d'un dîner. »

Elle rit, me dit que je suis méchant moi aussi et je me laisse aller en arrière sur ma chaise, sirote ma vodka citron, très content de moi.

« Oh, regarde, voilà Walter ! s'exclame Miranda en se redressant un peu. Walter ! Walter ! » Elle crie en agitant la main.

Je déteste Walter. Cinquante ans, look de pédé, agent chez ICM. Son titre de gloire dans certains milieux est d'avoir saigné presque tous les jeunes acteurs, sauf Emilio Estevez qui m'a dit un soir au bar d'On the Rox que lui n'avait rien à voir « avec Dracula et toute cette merde-là ». Walter avance jusqu'à nous en se dandinant, vêtu d'un smoking complètement ringard de Gianni Versace, et il nous soûle avec la projection d'un film ce soir chez Paramount, il dit que ce film fera dans les cent dix millions de recettes rien que sur le marché américain, qu'il a baisoté avec l'une des vedettes du film bien que ce film ne soit qu'une merde, et il flirte avec moi sans aucune retenue, et moi ça ne m'impressionne pas. Il finit par se tirer et je marmonne :

« Quelle limace, quel homo », et il ne reste que Miranda et moi.

« Alors, mon chou, raconte-moi ce que tu lis en ce moment », dit-elle après l'arrivée de l'énorme New York steak bleu « au jus » dans lequel nous nous plongeons en même temps. « À propos, ce truc est... », elle mâchonne en hochant la tête, « *délichieux* », et puis, « mais un vrai casse-tête ! »

Je mens bravement. « Tolstoï. Je ne lis jamais. Ça m'emmerde. Et toi ?

— J'adore, j'a-do-re cette Jacky Collins. De la merde superbe », dit-elle en mâchonnant sans arrêt, une petite coulée de sang dégoulinant sur son menton pâle au moment où elle avale deux cachets d'Advil en les faisant descendre avec le jus de la viande. Elle s'essuie le menton, sourit, cligne rapidement des yeux.

« Et comment va Marsha ? je demande en sirotant du vin rouge gazeux.

— Elle est toujours à Malibu avec... » Elle baisse maintenant la voix en mentionnant le nom d'un des Beach Boys.

« Pas possible ! je m'écrie en riant.

— Je ne te mentirais pas à toi, affirme Miranda en faisant rouler ses yeux, en se pourléchant et en terminant tout son steak sans en laisser une miette.

— Mais Marsha n'a pratiquement eu que des animaux, non ? Des vaches, des chevaux, des oiseaux, des chiens, tout quoi !

— À ton avis, qui a bien pu freiner l'expansion de la population des coyotes l'été dernier ? m'interroge Miranda.

— Ouais, on m'en a parlé, je murmure.

— Mais elle irait à Calabasas jusqu'aux étables et elle saignerait un cheval en moins d'une demi-heure, continue Miranda, je te le dis, mon chou, tout ça devenait vraiment ridicule.

— Moi je ne peux supporter le sang de cheval, je dis. C'est vraiment trop peu consistant, trop suave. À part celui-là, je peux prendre n'importe quel sang, mais seulement quand je suis déprimé.

— Moi, le seul animal que je ne supporte pas, c'est le chat, dit Miranda en mâchant toujours. C'est parce que beaucoup de chats sont leucémiques ou ont d'autres maladies honteuses.

— Ouais, les chats sont sales, dégueulasses », j'ajoute.

Nous commandons deux autres verres et partageons un steak de plus avant la fermeture des cuisines du restaurant, et Miranda me confie qu'elle s'est presque fait une partouze l'autre soir chez Tuesday avec tous ces beaux gamins de l'USC.

« Je suis mais complètement ébahi par ce que tu me racontes, je dis. Miranda, tu peux être tellement vache. » Je bois le reste du vin rouge, un peu trop gazeux ce soir à mon goût.

« Mon chou, crois-moi, ça a été plutôt un hasard. Une soirée avec des tas de mecs superbes. » Elle fait un clin d'œil en jouant avec une flûte de Moët. « Je pense que tu imagines comment ça s'est terminé ?

— Tu es vraiment méchante, je lui dis en riant. Et comment t'es-tu sortie de... de cette situation ?

— Qu'est-ce que tu crois que j'ai fait ? lance-t-elle d'un air provocateur en avalant le reste du champagne. J'ai sucé tout ce qu'ils avaient. » Elle regarde autour du vaste patio presque désert, fait un geste en direction de Walter qui monte dans sa limousine avec une fille qui a dans les six ans, et Miranda dit à voix basse : « Le sperme et le sang font bon ménage, tu le savais ?

221

— Je suis captivé.

— Ces gamins ridicules de l'USC ont a-do-ré. »
Elle rit en rejetant la tête en arrière. « Ils ont fait la
queue et bien sûr j'étais trop contente de leur faire
plaisir encore et encore et ils sont tous tombés dans
les pommes. » Elle rit plus fort, moi aussi, et elle
s'arrête pour regarder un hélicoptère qui passe dans
le ciel, son projecteur formant un cône blanc au-
dessous de lui. « Celui que j'ai aimé le plus est
tombé dans le coma. » Elle regarde tristement vers
le boulevard en direction d'une amarante avec
laquelle les voituriers s'amusent comme d'un ballon. « Son cou s'est cassé.

— Ne sois pas triste, je dis. Ça a été une soirée
délicieuse.

— Et si on allait voir un film à Westwood ? »
dit-elle, les yeux brillants de joie devant sa propre
proposition.

Nous allons au cinéma mais pas sans avoir acheté
deux gros steaks bleus dans un Westward Ho que
nous bouffons dans leur emballage au premier rang,
et là je flirte avec deux étudiantes de deuxième
année, une des deux me demande d'où vient ma
veste, pendant que la viande me sort de la bouche,
mais Miranda a même pensé à acheter des serviettes
en papier.

« Je t'adore, je lui dis au moment où les bandes-
annonces apparaissent sur l'écran. Parce que tu as
toujours de bonnes idées. »

Je suis dans un autre club, Rampage (prononcez
à la française), et je déniche une fille de la Valley,
du genre qui se veut excitante, et elle paraît vraiment lente et stupide, sans doute bourrée ou défoncée, mais elle a des gros seins et un corps plutôt

sexy, pas trop lourd, peut-être même un peu trop maigrichon, mais au fond son air vide m'excite fondamentalement.

« D'habitude je n'aime pas les filles maigrichonnes, je lui avoue, mais tu as l'air super.

— Alors les filles maigrichonnes peuvent aller se faire foutre ? dit-elle.

— Hé, c'est plutôt marrant, ça !

— Ouais, » dit-elle, l'air abattue.

— En tout cas, tu me bottes. »

On prend ma voiture, on franchit la Valley, on arrive à Encino. Je lui raconte une blague.

« Comment on appelle un Éthiopien avec un turban ?

— C'est une blague ?

— Un coton-tige, je lui dis. Ça m'éclate. Même toi, tu dois trouver ça marrant ! »

Elle est trop défoncée pour répondre, mais elle arrive à marmonner : « Est-ce que Michael Jackson habite par ici ?

— Bien sûr, c'est un copain.

— Je suis vraiment impressionnée, dit-elle sans aucun enthousiasme dans la voix.

— Je ne suis allé qu'à une seule soirée chez lui après le Victory Tour et c'était vraiment merdique. Je déteste perdre mon temps avec des négros de toute façon.

— Ce n'est pas très gentil de dire ça.

— Ferme-la. »

Dans ma chambre, elle ne perd pas de temps et nous faisons l'amour comme des bêtes et quand elle commence à jouir je me mets à lécher et mâchonner son cou, hors d'haleine, je trouve la veine jugulaire avec ma langue et je commence à la saigner, elle rit, elle gémit, elle jouit encore plus fort, et le sang jaillit dans ma bouche, touche mon palais, et alors

223

quelque chose d'étrange se produit, je me sens épuisé, nauséeux, je dois la quitter et là je comprends que cette fille n'est pas défoncée à la coke, ni bourrée, mais qu'elle carbure, comme elle dit elle-même, à « des drogues délire » !

« De l'ecstasy ? du LSD ? » je demande, ahuri.

Elle reste couchée sans rien répondre.

« Oh, merde, non ! je dis, comprenant soudain. De l'héroïne ! Oh, merde ! Une grosse connerie ! »

Je roule en bas du lit sur la moquette, tout nu, la tête dans un étau, le poison me foutant des crampes dans tout l'estomac, et je rampe jusqu'à la salle de bains, suivi tout le temps par cette garce qui a perdu un peu de sa stupeur de tout à l'heure, et qui crie : « On joue, allez-on joue, tu es le cow-boy et moi une squaw, tu piges ? » Moi je suis fou de colère contre elle, j'essaie de l'effrayer en lui montrant mes dents, mes crocs, mon affreuse bouche transformée, mes yeux noirs et sans paupières. J'arrive enfin jusqu'au W.-C., mais, imperturbable, elle continue de rire, complètement défoncée, et je vomis son sang en geysers et je m'évanouis avec la porte fermée, sur le sol. Je me réveille le lendemain soir, encore groggy, son sang séché sur tout mon visage, ma poitrine, mon cou. Je le lave sous une interminable douche chaude, puis je reviens dans la chambre. Sur le lit, écrit au dos d'une pochette d'allumettes de Pizza Kitchen, il y a son nom et son numéro de téléphone, et, dessous, « un moment *inoubliable* ». Je change de pièce, avale des Valium, ouvre mon cercueil et m'endors un moment.

Plus tard, je me réveille, inquiet, encore faible, heureux d'avoir acheté à ce type de Burbank ce nouveau cercueil sur mesure avec tout, radio FM, lecteur de cassettes, réveil digital, draps de pur coton, téléphone, une petite télé couleur, avec le câble dedans (MTV, HBO !). Elvira est la fille la plus excitante de la télé et elle présente le film d'horreur du dimanche soir, mon émission préférée ; j'aimerais bien rencontrer Elvira, et peut-être qu'un jour ça arrivera.

Je me lève, je prends des vitamines, fais de la musculation, j'écoute un CD de Madonna, je prends une douche, j'examine mes cheveux, blonds et épais, et j'ai envie d'appeler Attila, mon coiffeur, et de prendre rendez-vous pour demain soir, j'appelle, je lui laisse un message. La bonne est venue, elle a tout nettoyé, ce qui est son job ; je lui ai déjà dit que, si jamais elle essayait d'ouvrir le cercueil, je prendrais ses deux jeunes enfants et j'en ferais de la garniture de toast et les boufferais. *Muchas gracias.* Je m'habille : jean Levi's, sandales, un T-shirt blanc de chez Maxfield's, une veste d'Armani.

Je descends en voiture jusqu'au salon de bronzage ouvert vingt-quatre heures sur vingt-quatre, le Sun n' Fun, sur Woodman, et je m'offre dix minutes de rayons, puis je prends la direction de Hollywood, peut-être pour aller voir Dirk, qui est surtout branché par les beaux garçons, les prostitués de Santa Monica, dans les bars, les salles de gym. Il aime bien utiliser les tronçonneuses, ce qui peut aller si on fait insonoriser sa maison comme il l'a fait. Je passe devant une entrée, quatre parkings, des voitures de police partout.

Il fait chaud, et j'ouvre le toit, mets la radio à pleins tubes. Arrêt à Tower Records pour acheter quelques cassettes, puis chez Hughes au croisement de Beverly et de Doheny pour faire le plein de steaks si jamais je n'ai pas envie de sortir la semaine prochaine ; j'aime bien la viande crue même si le jus est trop maigre et pas assez salé. La grosse fille à la caisse flirte un peu avec moi pendant que je rédige un chèque de sept cent quarante dollars — je n'ai acheté que du filet mignon. Arrêt dans un ou deux clubs, où j'ai entrée libre, ou dont je connais les portiers, un coup d'œil pour voir qui est là, et je repars. Je repense à la fille que j'ai draguée chez Powertools, je l'ai reconduite jusqu'à un arrêt de bus sur Ventura Boulevard, et l'ai laissée là, en espérant qu'elle aurait tout oublié. Je passe devant un magasin de sport, je repense à ce qui est arrivé à Roderick, et je tremble, pris de nausée. Mais un Valium et ça se calme, je roule le long de Sunset devant le panneau d'affichage sur lequel il est marqué DISPARAISSEZ ICI, je fais un clin d'œil à deux blondes avec chacune un Walkman, immobilisées dans une Mercedes 450 décapotable à un feu rouge, elles rigolent, et je les suis sur Sunset, je pense à leur proposer de prendre un sushi avec moi, j'ai envie de leur dire de s'arrêter quand je vois soudain l'énorme néon du drugstore Thrifty, dont le petit *t* bleu clignote, flottant au-dessus des immeubles et des panneaux d'affichage, avec la lune en arrière-plan, au-dessus, et je m'en rapproche, je me sens faible, je fais un demi-tour absolument interdit sur le boulevard, et me sentant toujours un peu mal, mais de mieux en mieux à mesure que je m'éloigne de cette lune et de ce néon blafard, j'abaisse mon rétroviseur pour ne pas les voir et je file vers la maison de Dirk.

Dirk habite une maison immense, de style espagnol, construite il y a longtemps dans les collines et j'entre par la porte de derrière, et, en traversant la cuisine, j'entends la télé qui gueule au premier.

Dans un seau plein d'eau rosie, il y a deux scies à métaux, et je souris en moi-même, affamé. Chaque fois que j'entends parler d'un jeune type trouvé mort près d'une plage, dont un morceau du corps, un bras, un torse, une jambe, a été déposé, vidé de son sang, dans un sac près d'une autoroute, je murmure en moi-même : « Dirk. » Je prends deux Corona dans le frigo et cours jusqu'à sa chambre, ouvre la porte, mais la pièce est dans l'obscurité. Dirk est assis sur un sofa, vêtu d'un T-shirt Phil Collins, d'un jean, d'un sombrero, il regarde *Bad Boys* en vidéo, il se roule un joint, et il a l'air remonté, une serviette pleine de sang traîne par terre dans un coin.

« Salut, Dirk, je dis.

— Salut, mec. » Il se retourne.

« Comment ça va ?

— Rien de spécial. Et toi ?

— J'ai eu juste envie de passer, voir comment ça va. » Je lui tends une des Corona. Il arrache la capsule. Je m'assieds près de lui, ouvre ma bouteille, jette ma casquette sur la serviette sanglante, sous un poster des Go-Go's et une chaîne stéréo toute neuve. Un petit tas d'os humides tache le feutre d'un billard, et sous le billard il y a un tas de shorts tachés de violet, de noir et de rouge.

« Merci », dit Dirk en avalant une lampée. Il sourit. « Tu sais ce qui est brun, et plein de toiles d'araignée ?

— Le cul d'un Éthiopien, je dis.

— Gagné. » Nous nous tapons dans la main.

Dans le patio, un sac plein de chair, lourd de sang, pend d'une poutre en bois et des phalènes tournent autour, se dispersent quand du liquide coule, et se regroupent après. En dessous, quelqu'un a suspendu des lampions de Noël blancs autour d'une grande amarante épineuse. Une chauve-souris blonde bat des ailes, et se replace sur les poutres au-dessus du sac de chair et des phalènes.

« Qui est-ce ? je demande.

— C'est Andre.

— Salut, Andre. » Je fais un geste.

La chauve-souris émet un petit cri en guise de réponse.

« Andre a la gueule de bois, dit Dirk en bâillant.

— Mauvais trip ?

— Tu sais, il faut un moment pour retirer le crâne de quelqu'un de leur bouche.

— Ouais, je vois. Je peux te prendre une eau minérale ?

— Tu peux.

— Joli toucan, je déclare en remarquant un oiseau comateux dans une cage suspendue près des portes-fenêtres qui ouvrent sur la véranda. Quel est son nom ?

— Bok Choy, dit Dirk. Hé, si tu vas prendre une eau minérale, prépare-moi un mimosa, OK ?

— Seigneur, quand je pense à tout ce que ce toucan a vu !

— Ce toucan ne pige que dalle », commente Dirk.

Par terre près du jacuzzi, il y a des sacs, des bougies allumées éclairent l'eau fumante, en hommage à des parents qui ne connaîtront pas l'angoisse qu'ils auraient pu connaître. Cette épreuve leur sera épargnée.

Je descends, prends une eau minérale, prépare un mimosa pour Dirk, puis nous regardons le film, buvons encore un peu de bière, parcourons de vieux numéros de *GQ*, *Vanity fair*, *True Life Atrocities*, fumons un peu d'herbe, et c'est le moment où je sens le parfum du sang frais venant de la pièce voisine.

« Je vais devenir dingue, je dis. Je crois que j'ai les mâchoires qui tremblent. »

Dirk rembobine le film, et nous le re-regardons. Mais je n'arrive pas à me concentrer. Sean Penn n'arrête pas de dérouiller, moi j'ai de plus en plus faim, mais je ne dis rien, et le film s'achève, Dirk branche la télé sur HBO, où *Bad Boys* passe, et nous le regardons à nouveau en fumant encore un peu d'herbe. Finalement, je ne tiens plus assis, je me lève et fais le tour la pièce.

« Marsha est avec un des Beach Boys, dit Dirk, Walter m'a appelé.

— Ouais, j'ai dîné avec Miranda à l'Ivy l'autre soir. Tu y comprends quelque chose ?

— Ouais. » Il hausse les épaules. « Je n'ai pas parlé à Marsha depuis... », il s'interrompt, pense à quelque chose, hésite, et continue « ... depuis Roderick. » Il zappe, revient sur le film.

Plus personne ne parle guère de Roderick. L'année dernière, Marsha et Dirk devaient dîner avec Roderick chez *Chinois*, et quand ils se sont arrêtés chez lui à Brentwood, ils ont trouvé, au fond de la piscine vide de Roderick, un pieu, qui était en réalité une batte de base-ball bien affûtée, et qui était enfoncé dans le béton près de la vidange, qui avait été entièrement griffée par des ongles (Roderick se vantait de ses ongles longs et bien manucurés), et du sable, de la poussière et des cendres gris-blanc formaient un petit tas dans un coin. Marsha et Dirk avaient pris le pieu qui était en plus saupoudré de poudre d'ail, et l'avaient brûlé dans la maison vide de Roderick, et personne n'a vu Roderick depuis.

« Je n'y peux rien, mec, avoue Dirk. Ça me fout une trouille insensée.

— Allez, arrête, ne parlons plus de ça, je dis. Allez !

— D'accord, Professeur, d'accord. » Dirk fait son habituelle imitation de Félix le Chat, se colle ses Wayfarers sur le nez et sourit.

Maintenant je fais le tour de la pièce, dans le noir, entendant les cris qui sortent du téléviseur ; je m'avance vers la porte, je sens une odeur épaisse et riche, aspire à nouveau un grand coup, c'est doux et clairement masculin. J'espère qu'il m'en offrira, mais je ne veux pas jouer la sangsue, aussi je m'appuie contre le mur et Dirk parle d'aller voler des pintes de sang chez Cedar's et je me dirige vers la porte, enjambe la serviette trempée de sang, j'essaie d'ouvrir la porte mine de rien.

« N'ouvre pas cette porte, mon pote, dit Dirk d'une voix très basse, rauque même, les lunettes de soleil toujours sur le nez. N'entre pas. »

Je retire ma main à toute vitesse, la mets dans ma poche, fais semblant de n'y avoir jamais pensé, sifflote un air de Billy Idol qui me trotte dans la tête. « Je ne comptais pas entrer là-dedans. Calmos ! »

Il hoche la tête en signe d'approbation, ôte son sombrero, zappe sur une autre chaîne, revient à *Bad Boys*. Il soupire et fait sauter d'un coup d'ongle quelque chose sur sa botte de cow-boy. « Il n'est pas encore mort.

— Non, non, j'ai compris, mec, calme-toi, calme-toi. »

Je descends, rapporte de la bière et nous fumons encore de l'herbe, nous nous racontons encore quelques histoires, l'une à propos d'un koala, une autre sur les Noirs, une autre sur un accident d'avion, et nous regardons le reste du film, sans dire grand-chose, avec de longues pauses entre les phrases, même entre les mots, le générique de fin apparaît sur l'écran et Dirk enlève ses Wayfarers, les remet, et je suis tout défoncé. Il me regarde et dit : « Ally Sheedy est beau quand il a été dérouillé », et dehors, comme un rituel, un orage arrive.

Je traîne mes guêtres à Phases dans Studio City, il se fait tard et je suis avec une blonde qui a peut-être vingt ans et que j'ai rencontrée alors qu'elle dansait avec un taré quelconque sur l'air de « *Material Girl* », elle s'emmerde, moi aussi, je veux l'emmener loin d'ici, nous finissons nos verres, nous allons à ma voiture, montons, je suis un peu soûl, je n'allume pas la radio, la voiture est silencieuse sauf quand elle abaisse sa vitre et Ventura est si vide qu'on n'entend pas un bruit à l'exception de l'air conditionné et elle ne me dit même pas que j'ai une belle voiture, aussi je finis par demander à cette garce, après avoir lentement ouvert le toit pour l'impressionner mais en vain, à l'entrée d'Encino : « Combien d'Éthiopiens peut-on mettre dans une Volkswagen ? », et je sors une Marlboro, allume mon briquet en souriant à moi-même.

« Tous les Éthiopiens », dit-elle.

J'arrête la voiture sur le bas-côté, les pneus crissent, j'arrête le moteur. Je reste assis, j'attends. La radio est maintenant allumée, une chanson que je ne connais pas passe, et l'allume-cigares jaillit de son logement, tout rouge. Ma main tremble, je la regarde fixement, je m'appuie sur le dossier, la cigarette toujours à la main. Je crois qu'elle me demande ce qu'on attend, mais je l'entends à peine, j'essaie de rester calme, et je suis sur le point de redémarrer, mais il faut que je m'arrête encore pour la regarder, et, franchement ennuyée, elle demande : « Mais qu'est-ce qu'on attend ? » Et je la regarde encore et, très lentement, sans lâcher la cigarette, je renfonce l'allume-cigares, attends qu'il soit chaud, et je l'allume, souffle de la fumée, la regarde sans bouger. Et je lui demande alors, tranquillement, d'un ton soupçonneux, peut-être un peu gêné : « OK » J'inspire un grand coup. « Combien d'Éthiopiens peut-on mettre dans une Volkswagen ? » Je retiens mon souffle jusqu'à ce qu'elle me réponde. Je regarde une amarante sortir de nulle part et l'entends frotter le pare-chocs de la Porsche.

« Mais je te l'ai déjà dit, tous ! On va chez toi, ou quoi ? Qu'est-ce qui se passe ? »

Je me détends, fume un peu, et demande : « Quel âge as-tu ?

— Vingt ans !

— Non. Vraiment ! Allez, il n'y a que toi et moi ici, je ne suis pas un flic. Dis la vérité. Tu n'auras pas d'ennuis si tu dis la vérité. »

Elle réfléchit et elle dit : « Tu me donneras un gramme de cocaïne ?

— Un demi. »

Elle allume un joint que j'ai pris à tort pour une cigarette, envoie sa fumée vers le toit ouvrant, et lâche : « OK, j'ai quatorze ans. Quatorze. Ça te va ? Bon Dieu ! » Elle m'offre le joint.

« Pas question », je dis en le refusant.

Elle hausse les épaules. « Si, question. J'ai fait ma bar-mitsva au Beverly Hills Hotel, c'était l'enfer et j'aurai quinze ans en octobre. » Elle retient sa fumée et souffle tout d'un coup.

« Comment as-tu pu entrer au club ?

— Faux papiers. » Elle cherche son portefeuille.

« Est-ce que j'aurais pris Hello Kitty pour Louis Vuitton ? » je dis en prenant le portefeuille pour le flairer.

232

Elle me montre sa fausse carte d'identité. « C'est probable, gros malin !

— Et qu'est-ce qui me dit qu'elle est fausse ? Comment savoir si tu ne te fous pas de moi ?

— Regarde-la attentivement. Ouais. Je suis née il y a vingt ans, en 1964, pas vrai ? » Elle ricane. « Bien fait ! »

Je la lui rends. Je démarre et, sans la quitter longtemps des yeux, entre dans Ventura Boulevard et me dirige vers l'obscurité d'Encino.

« Tous les Éthiopiens, je dis en tremblant. Waouh !

— Et mon gramme ? » dit-elle, et aussitôt : « Oh, regarde, des soldes chez Robinson's. »

Je rallume une cigarette.

« D'habitude je ne fume pas, je déclare, mais tu me fais un drôle d'effet.

— Tu ne devrais pas fumer. » Elle bâille. « Ça te tuera. C'est ce que ma mocheté de mère m'a toujours dit.

— Elle est morte d'avoir trop fumé ?

— Non, un cinglé lui a tranché la gorge. » Nouveau silence. « Elle ne fumait pas. Ce sont des Mexicains qui m'ont élevée. » Silence. « Je peux te dire que ce n'était pas de la tarte.

— Ouais, je souris d'un air malin. Tu penses que le tabac me tuera ? »

Elle tire une bouffée de son joint, il est fini, et j'entre dans le garage, nous allons dans ma chambre, tout va très vite, et je vois mieux où tout ça va me conduire, elle vérifie tout dans la maison et me réclame une grande vodka avec des glaçons. Je lui dis qu'il y a de la bière au frigo et qu'elle peut aller se la chercher elle-même. Elle a un accès de fureur, fonce dans la cuisine, marmonne : « Merde ! Même mon père a de meilleures manières ! »

« — Tu ne peux pas avoir quatorze ans. Pas possible. »

J'enlève ma cravate et ma veste, je donne un coup de pied dans mes sandales.

Elle revient avec une Corona dans une main, un nouveau joint dans l'autre. Elle est trop maquillée, porte ces immondes jeans Guess blancs, mais elle ressemble à toutes les filles, l'air d'une poupée de cire entièrement artificielle.

« Espèce de garce minable », je murmure.

Je m'allonge sur le lit, la tête reposant sur les grands oreillers empilés, la dévisage, m'installe mieux.

« Tu n'as pas de meubles ? demande-t-elle.

— J'ai un frigo, j'ai ce lit, je dis en passant les mains sur mes draps de luxe.

— Ouais, c'est vrai, ouais, tu marques un point. » Elle fait le tour de la pièce, va à l'autre porte, l'essaie, la trouve fermée à clé. « Qu'est-ce qu'il y a là-dedans ? demande-t-elle en regardant la double page des horaires des levers et couchers de soleil de la semaine que j'ai prise dans le *L.A. Herald Examiner* et scotchée sur la porte.

— Une autre pièce.

— Oh ! » Elle me regarde, l'air enfin apeurée.

J'enlève mon pantalon, le replie, le jette sur la moquette.

« Pourquoi as-tu autant de... on dirait... » Elle s'interrompt. Elle ne boit pas sa bière, elle me regarde, embarrassée.

« Autant de quoi ? je dis en déboutonnant ma chemise.

— Eh bien, autant de viande..., continue-t-elle faiblement. Je veux dire, il y en a tellement dans ton frigo.

— Je ne sais pas, parce que ça m'arrive d'avoir

234

faim ? » J'enlève ma chemise, la jette près du pantalon. « Bon Dieu !

— Oh ! » Elle reste debout, immobile.

Je ne dis rien, repose la tête sur les oreillers. J'enlève lentement mon slip et lui fais signe de venir, et
elle s'avance lentement, impuissante, une bière
pleine à la main, avec un peu de mousse dessus, un
joint qui n'est pas éteint. Les bracelets autour de
son poignet paraissent être faits avec de la fourrure.

« Euh... écoute, ça va te paraître totalement
bizarre, mais..., elle bégaie, es-tu... ? »

Elle s'approche maintenant, l'air d'hésiter, ne se
rendant même pas compte que ses pieds touchent à
peine le sol. Je me lève avec une énorme érection
qui se dresse droit devant moi.

« Es-tu... on dirait... » Elle ne finit pas.

« Un vampire ? je dis en souriant.

— Non, un agent secret ? » dit-elle d'une voix
très sérieuse.

Je m'éclaircis la gorge.

Quand je lui dis que non, que je ne suis pas un
agent secret, elle gémit et maintenant je la tiens par
les épaules et je l'emmène très lentement, très calmement, à la salle de bains, et tandis que je la
déshabille, jetant son T-shirt Esprit dans le bidet,
elle n'arrête pas de rire sottement, et elle demande :
« Ça ne te paraît pas bizarre ? », et enfin son corps
jeune et parfait est nu, et elle plonge son regard dans
des yeux, les miens, qui s'embrument complètement, deviennent noirs et sans fond, et elle me touche le visage, incrédule, pleurant en même temps de
surprise, et je souris et touche sa chatte douce et
dépourvue de toute toison, et elle dit seulement :
« Ne me fais pas de suçon ! » et alors je crie, je
saute sur elle, je crève sa gorge, je la baise et je joue

avec son sang et, après ça, tout va fondamentalement bien.

Ce soir je descends Ventura pour aller voir mon psychanalyste de l'autre côté de la colline. Je me suis fait quelques lignes de coke avant, « *Boys of Summer* » s'échappe à grand bruit de mon lecteur, et je chante en même temps, freinant brutalement aux feux rouges, passe devant la Galleria, Tower Records, la Factory, le cinéma La Reina, qui doit bientôt fermer, devant le nouveau Fatburger et le Nautilus géant qui vient d'ouvrir. J'ai eu un appel de Marsha cette semaine. Elle m'a invité à une soirée à Malibu. Dirk m'a envoyé des autocollants ZZ Top pour décorer le dessus de mon cercueil, je trouve ça plutôt vulgaire, mais je les garde quand même. J'observe tous ces gens dans leur voiture ce soir et j'ai beaucoup pensé aux bombes atomiques depuis que j'ai vu deux ou trois autocollants qui les accusent de tous les maux sur des pare-chocs de voitures.

Dans le bureau du Dr Nova, je passe un sale moment.

« Qu'est-ce qui se passe ce soir, Jamie ? dit le docteur. Vous paraissez... agité.

— Je vois des images, non... j'ai des *visions*, je lui dis. Des visions de missiles nucléaires qui foutent cette ville en l'air.

— Quelle ville, Jamie ?

— La Valley, toute la Valley ! Toutes les filles pourrissent sur place après. La Galleria est un tas de cendres. Tout est détruit. » Silence. « Évaporé. » Silence. « Ça se dit, non ?

— Eh bien ! siffle le docteur entre ses lèvres.

— Ouais, je dis en regardant par la fenêtre.

236

— Et qu est-ce qui vous arrive ensuite ?

— Pourquoi ? Vous pensez que ça pourrait m'arrêter ?

— D'après vous ?

— Vous pensez qu'une saleté de bombe atomique va arrêter tout ça ? je dis. Pas question, mec.

— Arrêter tout quoi ? demande le Dr Nova.

— Nous lui survivrons.

— Qui ça, nous ?

— *Nous* sommes ici depuis toujours et *nous* y serons probablement toujours. » J'observe attentivement mes ongles.

« Et *nous* ferons quoi ? dit le docteur, sans intérêt.

— Le tour du monde. En volant. Nous fondrons sur vous comme un corbeau. Imaginez le plus gros corbeau que vous ayez jamais vu. Fondant sur vous.

— Comment vont vos parents, Jamie ?

— Je ne sais pas », je dis, et ma voix se brise en un cri. « Mais je vis très bien et si vous ne renouvelez pas mon ordonnance de Darvocet...

— Qu'est-ce que vous ferez, Jamie ? »

Je réfléchis aux possibilités, et m'explique calmement.

« J'attendrai. Dans votre chambre un soir. Ou sous la table d'un de vos restaurants favoris. Et je mutilerai votre petit pied.

— Est-ce... une menace, Jamie ?

— Ou quand vous emmènerez votre fille dans un McDo, je me déguiserai en Ronald McDonald et je la mangerai dans le parking sous vos yeux et vous perdrez la boule.

— Nous avons déjà parlé de tout ça, Jamie.

— J'attendrai dans le parking, ou dans la cour d'école de votre fille, ou dans une salle de bains. Je resterai caché dans votre salle de bains ; je suivrai votre fille depuis son école et, après l'avoir baisée, je m'allongerai dans votre salle de bains. »

Le Dr Nova me regarde, avec l'air de s'ennuyer, comme si toute ma conduite avait un sens.

« J'étais dans la chambre de l'hôpital quand votre père est mort du cancer, je lui dis.

— Vous l'avez déjà mentionné auparavant, réplique-t-il d'une voix blanche.

— Il pourrissait, docteur, je l'ai vu. J'ai vu votre père pourrir. J'ai dit à tous mes amis que votre père est mort d'un choc toxique, qu'il s'est enfoncé un tampon dans le cul et l'y a laissé trop longtemps. Il est mort en criant, docteur Nova.

— Avez-vous... tué quelqu'un d'autre récemment, Jamie ? demande le docteur, visiblement peu choqué.

— Dans un film. Dans mon esprit », je ricane.

Il soupire, m'examine, l'air hésitant. « Qu'est-ce que vous voulez ?

— Je veux m'installer à l'arrière de votre voiture, attendre, faire le pitre...

— Je vous entends, Jamie, il soupire.

— Je veux mon plein de Darvocet ou bien je vais me cacher au fond de votre jolie piscine un soir quand vous irez prendre un bain de minuit. Et je sortirai les veines et les tendons de votre cuisse bien musclée, docteur Nova. » Je suis debout, arpentant le bureau.

« Je vais vous donner le Darvocet, Jamie, mais je veux vous voir ici plus régulièrement

— Je suis totalement cinglé, je dis, vous êtes vraiment cool. »

Il remplit une ordonnance, me la tend et demande : « Pourquoi devrais-je avoir peur de vous ?

— Parce que je suis une ordure de salopard

bronzé, que mes dents sont si pointues qu'elles font ressembler un rasoir à un couteau à beurre. Il vous faut une meilleure raison ?

— Pourquoi me menacez-vous ? Pourquoi devrais-je avoir peur ?

— Parce que je serai la dernière chose que vous verrez, vous pouvez en être sûr. »

Je me dirige vers la porte, puis me retourne.

« Quel est l'endroit où vous vous sentez le plus en sécurité ? je demande.

— Dans un cinéma vide, dit le Dr Nova.

— Et votre film favori ?

— *Vacation* avec Chevy Chase et Christie Brinkley.

— Ce que vous préférez au petit déjeuner ?

— Les céréales, n'importe quoi avec du son dedans.

— Quelle est votre pub télé préférée ?

— L'aspirine Bayer.

— Vous avez voté pour qui à la dernière élection ?

— Reagan.

— Définissez le point où tout disparaît.

— Non, dit-il en pleurnichant. Faites-le vous-même.

— Nous y sommes déjà allés. Nous l'avons déjà vu.

— Qui ça... nous ? il s'étrangle.

— Une multitude de gens. »

11

La cinquième roue

« Est-ce qu'on va tuer le gamin ? » demande Peter, l'air nerveux, en se frottant le bras, les yeux écarquillés, son gros ventre ressortant sous un T-shirt BRYAN METRO. Il est assis sur un vieux fauteuil vert plein de trous, devant la télé, et il regarde des dessins animés.

Mary est allongée sur le matelas dans l'autre pièce, étalée de tout son long, beurrée. Elle écoute Rick Springfield ou un crétin du même genre à la radio et je me sens plutôt mal en essayant de rouler mon joint, faisant comme si Peter n'avait pas posé de question. Mais il la répète.

« Je ne sais pas si c'est à moi, à Mary, ou à un de ces connards de Flintstones sur l'écran que tu poses la question, mais je te conseille de ne pas recommencer, mec.

— On va tuer le gamin ? » dit-il.

J'arrête d'essayer de rouler mon joint, le papier étant trop humide, il se dissout sur mes doigts et Mary marmonne le nom de quelqu'un. Le gamin est attaché dans la baignoire depuis près de quatre jours maintenant et tout le monde est un peu nerveux.

« Ça commence à me gratter, dit Peter.

— C'est bien toi qui as dit que ça serait plutôt facile, que ça se passerait sans histoires, non ?

— J'ai merdé. » Il hausse les épaules. « Je le sais. » Il détourne les yeux de la télé. « Et je sais que tu le sais.

— T'auras une médaille, mec.

— Mary ne sait rien, dit-il en soupirant. On ne l'a jamais mise au courant.

— Alors tu sais que je sais que tu as monstrueusement merdé ? je dis. C'est bien ça ? »

Il se met à rigoler. « On va tuer le gamin ? » et Mary se met à rire avec lui et je m'essuie les mains en les entendant.

Peter trouve ma trace grâce à un dealer pour qui je travaillais avant et il m'appelle de Barstow. Peter est à Barstow avec une Indienne qu'il a draguée à Reno près d'une machine à sous. Le dealer me donne le numéro d'un hôtel dans le désert, j'appelle Peter et il me dit qu'il arrive à L.A. et que lui et une Indienne ont besoin d'un endroit pour dormir pendant quelques jours. Je n'ai pas vu Peter depuis trois ans, depuis qu'un incendie que nous avions allumé ensemble a pris des proportions désastreuses. Je lui dis à voix basse au téléphone : « Je sais que tu as encore merdé », et il répond : « Ouais, c'est vrai, mais laisse-moi venir.

— Je n'ai pas envie de te voir faire tes conneries, je lui dis, la tête dans les mains, je veux bien te loger une nuit et après tu fous le camp.

— Tu veux que je te dise quelque chose ? »

Je reste muet.

« Ça va pas se passer comme ça. »

Peter et Mary, qui n'est même pas indienne, arrivent à L.A. et débarquent chez moi, dans le secteur de Van Nuys, vers minuit et Peter entre, me prend le bras et il dit : « Tommy, comment va, vieux frère ? » et je reste là, tout secoué, et je lui dis : « Salut Peter », et il est gros, vraiment gros, cent cinquante kilos, peut-être deux cents, il a les cheveux longs, blonds et graisseux, il porte un T-shirt vert, il a des traces de sauce sur le visage et des marques de piqûres sur les deux bras et tout ça me dégoûte.

« Peter, mais qu'est-ce que tu fous ?

— Oh, mec, ça te regarde ? Ça va, ça va. » Il a les yeux agrandis, étranges, et il me fout la trouille.

« Où est la fille ?

— Dans la camionnette. »

J'attends la suite et Peter ne bouge pas.

« Dans la camionnette ? C'est bien ça ?

— Ouais, dans la camionnette.

— Et tu restes là ? Tu ne vas pas chercher la fille. »

Il ne bouge pas.

« La fille est bien dans la camionnette ? dis-je.

— Tout à fait. »

Je commence à m'énerver. « Alors qu'est-ce que tu attends pour aller chercher cette connasse, gros taré ? »

Il ne bouge toujours pas.

« Bon, allons la voir.

— Qui ? Qui, ça ? »

— À ton avis ? »

Il dit enfin : « Ah oui, Mary, oui. »

La fille est complètement inconsciente à l'arrière de la camionnette, elle est bronzée avec de longs cheveux blonds, toute maigre à cause de la drogue, mais ça lui va pas trop mal, et elle est plutôt mignonne. Le premier soir, elle dort sur le matelas dans ma chambre, moi sur le sofa et Peter reste assis dans le fauteuil à regarder la télé, et j'ai l'impression qu'il sort une ou deux fois pour acheter à manger, mais je suis fatigué, dégoûté, et je fais semblant de ne rien voir.

Le lendemain matin, Peter me demande de l'argent.

« Ça fait beaucoup d'argent, je dis.

— Qu'est-ce que tu veux dire ?

— Que tu es complètement malade, que je n'ai pas d'argent.

— Rien du tout ? dit-il en ricanant.

— Tu prends ça plutôt bien, je remarque.

— Je dois des ronds à un mec ici.

— Désolé, mon pote, je dis, je n'ai rien. »

Il ne répond pas, repart avec Mary dans la pièce sombre, et moi je vais à la station de lavage de bagnoles à Reseda où je bosse quand je n'ai rien de mieux à faire.

Je rentre après une journée assez pénible et Peter est toujours assis sur le fauteuil, Mary dans la pièce de derrière écoute la radio, et je remarque deux petites chaussures sur la table près de la télé et je demande à Peter : « Où as-tu trouvé ces deux petites chaussures, mec ? »

Peter est beurré, naze, il a un stupide sourire nerveux sur son visage enflé, il regarde fixement les dessins animés et moi les chaussures et j'entends une sorte de pleurnichement quelque part, un bruit mat, puis une sorte de bruit sourd derrière la porte de la salle de bains.

« C'est... une blague ? je dis. Je veux dire, je sais que t'es vraiment un malade, et je sais que c'est pas une blague, et puis merde ! »

J'ouvre la porte de la salle de bains, et je vois le gamin, jeune, blanc, blond, dix ou onze ans, avec une chemise ornée d'un petit cheval, un vieux jean de bonne marque, les mains liées dans le dos avec un câble, les pieds entravés par une corde, et dans la bouche quelque chose que Peter a enfoncé et ensuite recouvert avec du scotch pour tuyauterie, et le gamin a les yeux agrandis d'épouvante, il pleure, il donne des petits coups de pied sur les rebords de la baignoire où Peter l'a mis, et je claque la porte de la salle de bains, je fonce sur Peter, l'attrape par les épaules, et lui hurle à la figure : « Qu'est-ce que tu as encore fait, espèce de sale con, mais qu'est-ce que tu as foutu ? »

Peter regarde calmement la télé.

« Il va nous rapporter du blé », dit-il en essayant de me repousser.

Je serre plus fort ses épaules de taureau gras et je crie sans arrêt : « Mais pourquoi ? » et je panique et ça me pousse à lui balancer un crochet en pleine tête, mais il ne bouge pas. Il se met à rire, les sons qui sortent de sa bouche n'ont aucun sens, ne ressemblent à rien de ce que je connais.

Je frappe sa tête plus fort et, après peut-être le sixième direct, il m'attrape le bras, et le tord si fort que je pense qu'il va se casser en deux, et je tombe à terre, lentement, un genou à la fois, et il serre plus fort encore, il ne sourit plus du tout, et il dit, lentement, en martelant les syllabes : « Ferme ta sale gueule. »

Il tord encore mon bras, lui donne un dernier tour de vis, et je retombe, me tenant le bras, et je reste assis là longtemps, puis je me lève, essaie d'avaler une bière, m'allonge sur le sofa, j'ai mal au bras et au bout d'un moment le gamin la boucle.

Je finis par comprendre... Le gamin fait du skate-board dans le parking de la Galleria que Peter et Mary ont passé au peigne fin toute la matinée, et Peter dit qu'il « s'est bien assuré que personne ne regardait », et Mary (c'est ce qui me paraît le plus difficile à imaginer parce que j'ai du mal à me la représenter en mouvement) arrête la camionnette près du gamin au moment où il resserre un lacet et Peter ouvre la portière arrière, et très simplement, sans aucun effort, il soulève le gosse et le pousse calmement au fond de la camionnette, et Mary les ramène jusqu'ici et Peter me dit que, quoiqu'il ait pensé d'abord vendre le gamin à un vampire de sa connaissance qui habite dans West Hollywood, il a préféré négocier avec les parents du gamin, et que l'argent de la rançon lui servira à rembourser un pédé nommé Spin et qu'après on partira tous à Las Vegas ou au Wyoming et moi j'ai une telle trouille que je ne trouve rien à dire et je ne sais même pas où se trouve le Wyoming, et Peter doit me le mon-trer sur une carte dans un bouquin, ça ressemble à un État tout pourpre, très, très loin.

« Mais les choses ne marchent pas comme ça, je lui dis.

— Mec, ton problème, ce qui ne va pas chez toi, c'est que t'es jamais relax, tu ne te laisses jamais aller.

— Ah ouais ?

— C'est très mauvais pour toi. Et ça sera de pire en pire, mon pote, déclare Peter. Tu dois apprendre à te décontracter. »

Trois jours passeront et Peter regardera des dessins animés, il oubliera le gamin allongé dans la baignoire, et lui et Mary feront semblant de faire comme s'il n'y avait jamais eu d'enfant et moi, j'essaierai de la jouer cool, comme si je savais ce qu'ils vont faire, alors que je n'en ai pas la moindre idée.

Je vais à la station de lavage parce que je me réveille et je vois Peter qui chauffe une cuillère devant la télé et Mary qui entre en vacillant, maigre et bronzée, et Peter rigole en expliquant qu'il va la remonter un bon coup avec une piquouse, puis qu'il s'en fera une aussi et moi, avant d'y aller, je fume de l'herbe et je regarde des dessins animés avec Peter, et Mary retourne se coucher sur son matelas et parfois j'entends le gamin qui tape dans la baignoire et pète les plombs. On met la radio plus fort en espérant qu'il va s'arrêter et je pisse dans l'évier de la cuisine ou je vais chier aux toilettes de la station Mobil en face et je ne demande pas à Peter et Mary s'ils donnent à manger au gosse. Je reviens de mon boulot et je vois des sacs de supermarché vides et des emballages de McDo mais je ne sais pas s'ils ont tout bouffé ou s'ils lui en ont donné et le gosse remue dans la baignoire tard le soir et même avec la télé et la radio allumées on l'entend et j'espère que quelqu'un dehors l'entendra aussi, mais quand je vais dehors pour voir, je n'entends rien du tout.

« Pour toi seulement, dit Peter, juste pour toi.

— Pour moi quoi, bordel ?

— Je n'entends rien, dit Peter.

— Tu... tu mens, je dis.

— Hé, Mary, tu entends quelque chose ?

— Laisse-la, mec, elle est complètement jetée.

— C'est pour ça que c'est toi qui vas t'en occuper, dit-il.

— Oh merde, je grogne. C'est de ta faute.

— Être venu à L.A. c'est de ma faute ? demande Peter.

— Non, d'avoir ramassé le gosse.

— C'est pour ça que tu vas t'en occuper. »

Le quatrième jour, Peter comprend quelque chose.

« Je ne vois pas ce que tu veux dire, je lui déclare, proche des larmes, après avoir écouté son plan.

— On va tuer le gamin ? » redit-il, mais cette fois ce n'est même plus une question.

Je me réveille tard le lendemain matin, et Peter et Mary sont dans la pièce du fond, complètement inconscients, sur le matelas, la télé passe des dessins animés, des ballons avec des visages bleus et qui se poursuivent avec de gros marteaux, des pics à glace, et le son est si bas qu'on imagine ce qu'ils se racontent ; dans la cuisine j'ouvre une bière, je pisse dans l'évier, je mets même dans ma bouche le reste d'un énorme hamburger laissé sur le petit bar, je le mâche péniblement, l'avale, j'enfile un bleu de travail propre, et je suis prêt à partir quand je vois que la porte de la salle de bains est entrouverte et je m'avance, terrifié à l'idée que Peter ait encore fait quelque chose au gosse, mais je n'arrive même pas à vérifier, et je ferme la porte en vitesse et descends en voiture à Reseda, parce qu'il y a deux soirs je suis entré, et le gosse était allongé sur le ventre le pantalon tire-bouchonné autour de ses chevilles attachées et son dos était plein de sang et je me suis tiré et la fois suivante quand j'ai vu le gosse il était nettoyé, quelqu'un lui avait même brossé les cheveux, il était encore ligoté avec une chaussette enfoncée dans la bouche, il tremblait de peur, il avait les yeux plus rouges encore que les miens.

J'arrive à la station, tard, et un type, un juif, hurle contre moi, je ne réponds pas, je marche seulement d'un bout à l'autre d'un long tunnel sombre, où je sèche une voiture avec un type appelé Asylum[1] qui se prend pour un vrai connard, et aujourd'hui on dirait que tous les habitants de la Valley veulent faire laver leur bagnole, et je n'arrête pas de sécher des bagnoles, je me fous de la chaleur, je ne regarde personne et je ne parle à personne si ce n'est à Asylum.

« Je ne suis même plus comment dire, inquiet du tout. Tu vois ? Ni méfiant, ni rien, je lui dis.

— Ouais, c'est un peu comme si tu disais merde à tout, c'est ça ? demande Asylum. C'est ça ? J'ai bien pigé ?

— Ouais, je m'en fous. »

Je termine une bagnole et j'attends que la suivante sorte du tunnel et je remarque un petit gosse près de moi. Il porte un uniforme d'école, il regarde les bagnoles sortir du tunnel, et petit à petit je sens la parano m'envahir. Une bagnole arrive et Asylum la dirige jusqu'à moi.

« C'est celle de ma mère, dit le gosse.

— Ouais ? Et alors ? »

Je commence à sécher un break Volvo avec le gosse toujours planté là.

« Tu vas finir par me mettre en colère, je lui dis. J'aime pas que tu me regardes comme ça.

— Pourquoi ? demande-t-il.

— Parce que j'ai envie de te donner un bon coup de pied dans la figure, tu vois ?

— Pourquoi ? répète-t-il.

1. Asile.

249

— Je fais comme si tu ne me parlais pas, je lui dis en espérant qu'il va s'éloigner.

— Pourquoi ?

— Parce que t'es un petit connard qui me pose des questions stupides avec un air important, je précise.

— Vous ne trouvez pas que je suis important ?

— C'est à moi que tu parles ? »

Il acquiesce fièrement.

« Je ne sais pas pourquoi tu as besoin de me demander ça, mec, je lui dis, c'est une question stupide.

— Qu'est-ce que ça veut dire, "avoir besoin" ? le gosse demande.

— Stupide, stupide, stupide, je dis entre mes dents.

— Pourquoi c'est stupide ?

— Laisse tomber, espèce de petit retardé mental !

— Qu'est-ce que ça veut dire "laisse tomber" ? »

Exaspéré, je m'avance vers le gosse. « Fous le camp d'ici, sale petit con ! » Le gosse rit et va rejoindre une femme qui boit un Tab et regarde son sac de chez Gucci, je sèche la Volvo à toute vitesse, et Asylum me parle d'une fille qu'il a baisée hier soir et qui avait l'air d'un mélange de chauve-souris et d'araignée et j'ouvre enfin la portière pour la femme avec le Tab et le gosse, et soudain j'ai si chaud que je dois essuyer la sueur de mon front avec ma main poisseuse et le gosse ne me quitte pas des yeux quand la voiture démarre.

Peter sort vers dix heures parce qu'il a quelque chose à faire, dit-il, et qu'il rentrera à minuit. J'essaie de regarder la télé, mais le gosse se remet à remuer et ça me rend malade, aussi je vais dans ma chambre où Mary est sur le matelas, lumières éteintes, pièce sombre, la fenêtre ouverte, mais il fait toujours très chaud, et je la regarde et lui demande si elle veut partager un joint.

Elle ne répond pas et remue la tête très, très lentement.

Je vais sortir quand elle dit : « Hé, reste... pourquoi tu restes pas ? »

Je la regarde et je dis : « Tu veux savoir ce que je pense ? »

Elle roule les yeux, remue la bouche et dit : « Non.

— Je me dis : "cette nana est complètement jetée", je lui dis. Je pense que n'importe quelle nana qui traîne avec Peter est forcément complètement jetée.

— Et quoi d'autre ? murmure-t-elle.

— Je ne sais pas. Je suis tout excité. Peter ne rentrera pas avant... avant minuit ?

— Et quoi d'autre ?

— Merde, pourquoi est-ce qu'on ne laisse pas les choses se faire ?

— Je... » Elle avale sa salive. « Je ne suis pas sûre... »

Je m'assieds sur le matelas près d'elle, et elle essaie de se redresser mais finit par s'appuyer contre le mur et me parle de mon boulot.

« Qu'est-ce que tu racontes ? je lui dis. Tu veux que je te parle de ma journée à la station de lavage ?

— Qu'est-ce qui s'est passé ? elle retient son souffle.

— Il y avait un gosse ; tout ça était très intéressant. Peut-être le jour le plus intéressant de ma vie. » Je suis fatigué et le joint que j'allume s'éteint trop vite et je cherche à attraper les allumettes près d'une cuillère et d'un sac en plastique cradot de l'autre côté du matelas, je rallume et je lui demande comment elle a fait la connaissance de Peter.

Elle ne prononce pas un mot pendant un bon moment et je ne dis pas que je suis étonné. Elle parle enfin à voix basse, je l'entends à peine, je m'approche, elle marmonne quelque chose, je dois lui demander de répéter, son haleine sent presque la charogne. À la radio les Eagles chantent « *Take it easy* » et j'essaie de chanter en même temps.

« Peter a... Peter a fait quelque chose d'affreux... dans le désert.

— Ouais ? Je n'en doute pas un seul putain d'instant. » J'aspire un coup puis : « Genre quoi ? »

Elle hoche la tête en remerciement de ma question.

« On a rencontré un type à Carson City... et il nous a foutus dans une vraie grosse merde. » Elle se lèche les lèvres et je m'attriste. « On est restés avec lui... un moment et le type était très sympa et quand Peter a été acheter des beignets, ce gars et moi on a commencé à s'amuser. C'était bien... » Elle est loin, tellement camée que je m'excite et elle s'arrête et me regarde pour vérifier que je suis bien là, que j'écoute. « Peter est rentré... »

Ma main est posée sur son genou et elle s'en fout et je hoche encore la tête.

« Tu sais ce qu'il a fait ?

— Qui ? je dis. Peter ?

— Devine ! » Elle rit nerveusement.

Je réfléchis longtemps. « Il a... mangé les beignets.

— Il a emmené le type dans le désert.

— Ouais ? » Je pose ma main sur sa cuisse, osseuse et maigre et couverte de poussière, et je la caresse, faisant sauter des particules de poussière.

« Ouais, et il lui a mis une balle dans l'œil.

— Bon Dieu ! je dis. Je sais que Peter a fait des trucs comme ça. Alors je ne suis pas surpris, si tu vois ce que je veux dire.

— Puis il se met à gueuler contre moi, il baisse le pantalon du type et il sort son couteau et il coupe le... machin du type et... » Mary s'arrête. Elle pouffe de rire et je l'imite bientôt. « Et il l'a jeté vers moi et il m'a dit : C'est ça que tu voulais, sale putain ? C'est ça ? » Elle rit de façon hystérique et je ris aussi, et nous rions ainsi longtemps et, aussitôt fini, elle se met à pleurer, à s'étouffer, à tousser en crachant des saletés, et je retire ma main de sa jambe. « Voilà c'est tout ce que je voulais dire. » Elle sanglote.

J'essaie de la baiser mais elle est tellement dans les vapes et sèche que ça me fait mal et j'arrête un moment. Je suis encore excité et je lui demande de me sucer, mais elle s'endort, je la soulève pour la remettre contre le mur, je me mets dans sa bouche, mais ça ne marche pas non plus et je finis en me masturbant, mais je n'arrive pas à jouir.

Je m'éveille parce qu'on frappe à la porte. Il est tard, le soleil est déjà haut et passe à travers la vitre, me frappe brutalement le visage, je sors du lit, cherche et ne trouve ni Peter ni Mary, et je pense en me levant qu'ils sont peut-être à la porte et je m'avance pour ouvrir. Je suis groggy. Crevé. Un jeune type blond, bronzé, les cheveux gonflés au séchoir, en pleine forme, avec des chaussures de bateau, un short très large, des lunettes Vuarnet, est là, il me regarde comme si sa présence devait me transporter de joie.

« Qu'est-ce que vous voulez ? je lui dis.

— Je cherche quelqu'un », dit-il et il ajoute :
« Mec.

— Eh bien, ce quelqu'un n'est pas ici, je déclare
près de fermer la porte. Plus rien à foutre.

— Eh, mon pote, dit le type.

— Je vous demande simplement de foutre le
camp »

Il pousse la porte de sa main, passe devant moi
et entre.

« Oh, qu'est-ce que tu veux, putain de merde ?

— Où est Peter ? Je cherche Peter.

— Il... il n'est pas là. »

Il fait le tour des lieux, vérifie tout. Il s'appuie
enfin contre le sofa, me regarde de près et dit :
« Qu'est-ce que tu as à me regarder ?

— Je suis seulement crevé. Je voudrais que tout
soit fini, c'est trop pour moi, j' veux plus m'en
occuper.

— Dis-moi seulement où ce putain de con se
trouve ?

— Et comment je le saurais ?

— Eh bien, mec, t'as intérêt à le trouver et vite. »
Il me regarde et dit : « Tu veux savoir pourquoi ?

— Non. Pourquoi ?

— Tu veux vraiment le savoir ?

— Ouais. Je viens de te le dire. Allez, fais pas le
con. J'ai eu une semaine difficile. On pourrait être
copains toi et moi si...

— Je vais te le dire. » Il s'arrête et de cette voix
basse et dramatique, à laquelle je me suis maintenant habitué, il dit : « Parce qu'il est dans une
merde... » il s'arrête encore, « dans une merde...
absolue.

— Ouais ? C'est vrai ? je dis d'un ton naturel.

— Ouais, c'est vrai, réplique le bronzé. Si,
Señor.

254

— Alors je lui dirai que tu es venu et tout. » Je lui ouvre la porte et il s'en approche. « Et je ne suis pas mexicain !

— C'est juste un message, dit le type. Je vais revenir, et si Peter ne l'a pas, vous êtes tous morts. » Il me dévisage longtemps, ce type de dix-huit, dix-neuf ans, aux lèvres épaisses, aux traits réguliers et inexpressifs et si indistincts que dans cinq minutes je ne pourrai pas me les rappeler et les décrire à Peter.

« Ouais ? je dis en poussant la porte. Et tu vas faire quoi ? Nous bronzer jusqu'à ce que mort s'ensuive ? »

Il sourit gentiment quand la porte se ferme.

En revenant du boulot, je reste à la maison, attendant le retour de Peter et Mary, mais je ne sais même pas s'ils vont revenir, je ne sais pas ce que Peter est censé avoir exactement pour ce surfeur, et je reste assis à regarder vaguement par la vitre dans la rue. Je ne comprends pas pourquoi Peter est arrivé et a tout foutu en l'air, parce que tout était foutu au départ de toute façon et, s'il n'était pas venu cette semaine, il serait venu la semaine suivante ou l'année prochaine et ça ne fait aucune différence parce que je savais que ça allait arriver et il n'y rien d'autre à faire que de regarder par la fenêtre à attendre leur retour pour que je puisse me rendre.

Je leur parle du surfeur qui est venu.

Peter marche nerveusement. « Je crois que je vais chier. »

Mary répète : « Je te l'avais dit, je te l'avais dit.

— Prends tes affaires, me lance soudain Peter, on se tire tout de suite. »

Mary pleure.

« Je n'ai rien à emporter », je lui dis.

Je le regarde marcher nerveusement. Mary entre dans la chambre à coucher, se jette sur le matelas, se met une main dans la bouche et la mord.

« Mais qu'est-ce que tu fous ? crie Peter.

— Je prends mes affaires », dit-elle en sanglotant, et en se tortillant sur le matelas.

Pendant qu'elle est dans l'autre pièce Peter vient vers moi, met la main dans sa poche et me tend un couteau à cran d'arrêt et je dis : « C'est pour quoi faire, mec ?

— Le gamin. »

Je l'ai oublié, le gamin, et je regarde vers la porte de la salle de bains, fatigué.

« Si on le laisse, quelqu'un le trouvera et il parlera et on sera dans la merde.

— Laisse-le crever de faim, je dis à voix basse sans quitter le couteau des yeux.

— Non, non », réplique Peter en m'obligeant à prendre le couteau.

Je le prends et il s'ouvre avec un clic, et je le trouve effrayant, long, lourd.

« Elle est vraiment aiguisée », je dis en regardant la lame, et je regarde ensuite Peter pour qu'il me donne des instructions, et il me rend mon regard.

« Voilà ce qui te reste à faire », dit-il.

Nous demeurons là une éternité et, quand je commence à parler, Peter lâche : « Vas-y. »

Je l'attrape par le bras et j'essaie de lui dire : « Mais je ne suis pas en train de protester, tu vois ! »

Je vais vers la porte de la salle de bains et Mary me voit et court en boitillant vers moi, mais Peter la frappe deux fois, la met au tapis et j'entre dans la pièce.

Le gamin est pâle et mignon, il a l'air affaibli, il voit le couteau et il se met à pleurer, remue son corps, essayant de s'échapper, et je ne veux pas faire ça avec la lumière allumée, je l'éteins et j'essaie de frapper le gamin dans le noir, mais l'idée de le frapper dans le noir me fout soudainement la trouille, et je rallume et me mets à genoux, j'amène le couteau vers son ventre, le frappe, mais pas assez fort, alors je recommence plusieurs fois, et il tend le dos et je recommence, m'efforce de l'ouvrir en deux, mais le gamin tend encore le ventre, et je continue, puis je touche la poitrine, mais le couteau se bloque sur des os, et le gamin n'est pas mort, alors j'essaie de lui trancher la gorge, mais il abaisse son menton, je finis par frapper le menton, le découpe, et je l'attrape enfin par les cheveux, je tire sa tête en arrière, et il pleure, arrivant encore à bander son dos, tentant de se libérer, répandant du sang dans toute la baignoire, et dans la pièce voisine Mary hurle et j'enfonce le couteau profondément dans la gorge du gamin, la tranche, et ses yeux s'agrandissent de terreur et un énorme jet de sang chaud m'atteint le visage, les lèvres, et je l'essuie sur mes yeux avec la main qui tient encore le couteau, et il y a du sang partout, et le gamin met encore longtemps avant d'arrêter de bouger, et je reste à genoux, couvert de sang, à certains endroits pourpre, ou plus sombre, et le gamin remue encore en quelques spasmes et je n'entends plus rien dans la pièce voisine, il n'y a que le bruit du sang qui coule dans la baignoire, et plus tard Peter vient, me sèche et murmure : « Ça va aller, mec, on va dans le désert, ça va aller. » On arrive enfin à monter dans la camionnette, on quitte Van Nuys et je dois convaincre Peter que je vais bien.

Peter arrête la camionnette dans le parking d'un Taco Bell au bout de la Valley, et Mary reste à l'arrière, parce qu'elle a une trouille noire, et Peter n'a plus de voix à force de lui dire de la boucler ; elle est comme un bébé, dans la position du fœtus, et elle se griffe le visage.

« Elle meurt de trouille, dit Peter en la frappant pour la faire taire.

— Ouais, ça ressemble à ça. »

Nous voilà assis à une petite table sous un parasol cassé, il fait chaud, mon bleu est trempé de sang et craque quand je bouge les bras ou les mains.

« Tu ressens quelque chose ? dit Peter.

— Quoi ? »

Il me regarde, réfléchit, hausse les épaules.

« On n'avait pas vraiment besoin de liquider ce gosse, je dis.

— Non. Tu n'étais pas obligé, dit Peter.

— Il paraît que tu as fait un truc horrible dans le désert. »

Il mange un burrito et lance : « Las Vegas. » Puis : « Quel truc horrible ? »

Je regarde fixement la crêpe de maïs qu'il m'a apportée.

« Personne ne te trouvera là-bas, déclare-t-il, la bouche pleine.

— T'as fait une grosse connerie là-bas, Mary me l'a dit.

— Une connerie ? dit-il, confus, l'air sincère.

— C'est ce que Mary m'a raconté, mec, je dis en frissonnant.

— Qu'est-ce que tu veux dire par "connerie" ?, continue-t-il en finissant son burrito trop vite et il répète : « Vegas. »

Je prends la crêpe et vais la manger quand je remarque du sang sur ma main, je pose la crêpe pour m'essuyer la main, Peter mange un morceau de la crêpe, moi aussi, il la termine, et nous remontons dans la camionnette et nous démarrons vers le désert.

12

À la plage

« Imagine un aveugle qui rêve », dit-elle. Je suis assis près d'elle, sur la plage de Malibu et, malgré l'heure très tardive, nous avons toujours nos Wayfarers sur les yeux, et bien que j'aie été allongé près d'elle au soleil sur la plage depuis midi (elle est arrivée sur la plage à huit heures ce matin) j'ai encore un peu la gueule de bois à la suite de cette soirée où nous avons été hier soir. Je ne me souviens pas très bien de la soirée, mais je crois que c'était à Santa Monica, mais peut-être un peu plus bas, peut-être à Venice. Les seules choses que je me rappelle sont trois bonbonnes d'acide nitrique sur une véranda, posées par terre près de la chaîne stéréo, un air de Wang Chung, moi tenant une bouteille de Cuervo Gold, une mer de jambes poilues et bronzées, quelqu'un qui répète sans arrêt : « Allons chez Spago, allons chez Spago » d'une voix de fausset.

Je soupire, ne dis rien, frissonne un peu et retourne la cassette des Cars. Je vois Mona et Griffin sur la plage ; ils marchent lentement au bord de l'eau. Il fait trop sombre pour porter des lunettes noires. Je les enlève. Je la regarde. Sa perruque n'est plus de travers, elle l'a redressée quand j'avais les yeux fermés. Puis je regarde en direction de la maison, et de nouveau vers Mona et Griffin, qui paraissent un peu se rapprocher mais peut-être pas. Je parie contre moi-même dix dollars qu'ils éviteront de venir par ici. Elle ne bouge pas. « Tu ne peux pas comprendre, tu ne peux comprendre la douleur », dit-elle, mais ses lèvres remuent à peine. Je fixe de nouveau la plage, le crépuscule qui dérive et vire au rose. Les rêves d'un aveugle !

Elle m'en a parlé la première fois à la fête de la fac.

J'y étais allé avec elle et Andrew qui y allait avec Mona, et nous avions un étrange chauffeur de maître pour la limousine qui ressemblait à Anthony Geary, et Andrew et moi avions loué des smokings et des nœuds papillons qui étaient beaucoup trop grands et on a dû s'arrêter au Beverly Center pour en acheter des neufs et nous avions environ six grammes et deux cartouches de cigarettes Djarum, et elle avait l'air si menue quand j'ai épinglé la fleur sur sa robe et ses mains osseuses tremblaient pendant qu'elle essayait d'accrocher une rose sur ma manche. Déjà défoncé, j'ai résisté à la tentation de lui dire de la mettre à un autre endroit. La soirée avait lieu au Beverly Hills Hotel. J'ai flirté avec Mona. Andrew a flirté avec moi. J'ai fait une ligne de coke dans les toilettes. Elle n'a rien dit à ce moment-là. C'est seulement plus tard, à la fête après la promotion, sur le yacht de Michael Landon, après l'épuisement de notre stock de coke, quand nous étions ensemble dans la cabine en bas, qu'elle a pris ses distances, qu'elle a dit qu'il y avait un problème. On a monté l'escalier jusqu'au pont supérieur et j'ai allumé une cigarette, mais elle n'a rien dit de plus et je n'ai rien demandé parce qu'en réalité je ne voulais pas savoir. Il faisait froid ce matin-là et tout me semblait gris et froid. Je suis rentré chez moi fatigué, encore excité, et la bouche sèche.

Elle me demande, à voix très basse, d'arrêter les Cars et de mettre Madonna. On a été à la plage chaque jour depuis trois semaines. Elle n'a envie que de ça. Rester allongée sur la plage, au soleil, devant la maison de sa mère. Sa mère tourne en Italie, puis elle doit continuer à New York et aux studios de Burbank. J'ai passé les trois dernières semaines à Malibu avec elle, Mona et un des mecs de Mona. Celui d'aujourd'hui, c'est Griffin, un copain de plage plein aux as, amical, qui est le propriétaire d'un club gay dans West L.A. Mona et ses amis restent parfois avec nous sur la plage, mais pas trop longtemps. Moins qu'elle. « Mais elle ne bronze même pas ! » j'ai dû dire un soir. Mona a agité la main devant ma figure, allumé des bougies et offert de me lire les lignes de la main, et elle est tombée, complètement camée. Elle a souvent l'air plus pâle quand Mona ou moi lui passons de l'huile solaire sur le corps, un corps complètement ravagé, son petit bikini lui-même paraît trop grand, pendouille sur une chair qui a la couleur du lait. Elle ne se rase plus les jambes parce qu'elle n'en a plus la force, et que personne ne veut le faire pour elle, et les poils sombres se voient, tout est gras d'huile, et collant sur sa jambe. « Elle était si excitante autrefois », j'ai crié à Mona en préparant ma valise dimanche dernier au moment de mon départ. Grande (elle l'est toujours, mais ressemble maintenant à un grand squelette), blonde (pour une raison bizarre, quand elle a commencé à perdre ses cheveux, elle a acheté une perruque noire), et son corps était souple, soigneusement musclé, elle faisait beaucoup d'aérobic, et aujourd'hui elle fait peine à voir. Et tout le monde le sait, en plus. Un de nos amis communs, Derf, de l'USC, qui est venu ici mercredi pour baiser Mona, m'a dit en polissant sa planche de fun, en la désignant d'un geste de la tête, seule, dans la même position que d'habitude sous un ciel couvert, sans soleil : « Elle est dans un état catastrophique, mon pote.

— Mais elle est en train de mourir, je lui ai dit, imaginant d'où il venait.

— Peut-être, mais elle est dans un état catastrophique », a dit Derf sans cesser de polir sa planche pendant que je la regardais, hochant la tête.

Je fais un signe à Mona et Griffin quand ils passent à proximité pour aller jusqu'à la maison, puis je regarde le paquet de Benson & Hedges mentholées près d'elle, près d'un cendrier du restaurant La Scala et du lecteur de cassettes. Elle s'est mise à fumer quand elle a appris ce qui lui arrivait. Je m'installais sur son lit et je regardais MTV ou une vidéo sur le magnétoscope, et elle allumait cigarette sur cigarette, essayait d'inhaler, s'étouffait, fermait les yeux. Parfois même elle n'y arrivait pas. Elle écrasait alors la cigarette dans le cendrier qui en contenait souvent déjà cinq ou six dans le même état, et elle en allumait une autre. Elle ne supportait pas l'odeur, la première bouffée, l'allumage, mais elle voulait fumer. Quand on réservait une table chez Trumps, à l'Ivy, chez Morton's, j'ajoutais toujours « dans la partie fumeurs », et elle me disait que ça n'avait plus d'importance maintenant, me regardait comme si elle espérait que je la contredise. Donc, elle allumait, elle inhalait, elle toussait, fermait les yeux, buvait un peu de Coca-Cola (« Pas de problème, disait-elle, c'est du light à la con ») posé, tiède, sur sa table de maquillage. Parfois elle restait là deux heures à regarder les cigarettes se consumer l'une après l'autre, elle en rallumait encore une, et elle me disait qu'un jour ou l'autre elle y arriverait, et tout ça me bouleversait et je la regardais ouvrir une nouvelle cartouche, Mona regardait aussi, et parfois elle gardait ses lunettes noires pour que personne ne voie qu'elle avait pleuré, et elle disait que le soleil lui faisait mal, ou que, le soir, c'était les lumières dans la maison, elle mettait alors ses Wayfarers, parfois elle se plaignait de la luminosité de l'écran de la télé grand format, mais elle la regardait quand même, ça lui faisait mal aux yeux, mais je savais qu'elle était à bout, qu'elle pleurait beaucoup.

Il n'y a rien d'autre à faire que de rester assis au soleil, sur la plage. Elle ne dit presque rien, elle bouge à peine. J'ai envie d'une cigarette, mais j'ai horreur du goût mentholé. Je me demande si Mona a encore un peu d'herbe. Le soleil est bas maintenant, l'océan s'assombrit. Un soir, la semaine dernière, pendant qu'on la soignait à Cedar's, Mona et moi sommes allés au Beverly Center, nous avons vu un navet, nous avons pris des margaritas glacées au Hard Rock, et on est revenus à la maison à Malibu, on a fait l'amour dans le salon, on a regardé ensuite les filets de vapeur qui s'échappent du jacuzzi, pendant des heures. Un cheval monté passe près de nous, quelqu'un me fait un signe, mais le soleil couchant est derrière le cavalier et je dois plisser les yeux pour le reconnaître et je n'y arrive pas. Je sens venir une grosse migraine que seule l'herbe pourra guérir.

Je me lève. « Je vais à la maison. »

Je la regarde, une fois debout. Le soleil couchant se reflète dans ses lunettes noires, tourne à l'orange, s'affaiblit. « Je crois que je vais partir ce soir, je dis, je rentre. »

Elle ne bouge pas. La perruque n'a plus l'air aussi naturelle qu'au début, même si à ce moment-là elle faisait un peu synthétique, dure et trop grande.

« Tu veux quelque chose ? »

Je crois qu'elle secoue la tête pour dire non.

« OK », je dis et je me dirige vers la maison.

Mona est dans la cuisine, regarde par la fenêtre, elle nettoie une pipe tout en regardant Griffin sur la terrasse. Il ôte son maillot de bain, et, tout nu, enlève des grains de sable de ses pieds. Mona sait que je suis dans la pièce, elle dit que c'est dommage que les sushis du déjeuner ne nous aient pas mis de bonne humeur. Mona ne sait pas qu'elle rêve de roches en fusion, de rencontrer George Kihn dans le hall du Château Marmont, de conversations avec l'eau, la poussière et l'air, au son d'un pot-pourri des Eagles, de « *Peaceful Easy Feeling* » joué à plein tube, de turquoise, des paroles de « *Love Her Madly* » en graffiti sur un mur de ciment, d'une tombe.

« Ouais, je dis en ouvrant le frigo. Dommage. »

Mona soupire, continue à nettoyer la pipe.

« Est-ce que Griffin a bu le reste de la Corona ?

— Peut-être bien, murmure-t-elle.

— Merde. » Je regarde fixement le frigo, l'air que j'expire se condense au contact du froid.

« Elle est vraiment mal, dit Mona.

— Ouais. Et moi je suis furieux, je voulais une Corona. J'en avais une envie folle. »

Griffin entre, une serviette nouée autour de la taille.

« Qu'est-ce qu'il y a pour le dîner ? questionne-t-il.

— Est-ce que tu as bu le reste de la Corona ? je lui dis.

— Hé, mec, dit-il en s'asseyant à la table. Du calme, hein ! décontracte-toi !

— Tu veux manger mexicain ? » suggère Mona en fermant le robinet.

Mais personne ne répond.

Griffin chantonne un air, comme en transe. Il a les cheveux tout humides et peignés en arrière.

« Qu'est-ce que tu veux, Griffin ? demande-t-elle de nouveau en soupirant, une serviette à la main. Mexicain ou pas ? »

Griffin lève les yeux, surpris. « Mexicain ? Ouais, mon chou. De la salsa ? Des chips ? Ça me va très bien. »

J'ouvre la porte et sors dans le patio.

« Hé, ferme la porte du frigo, dit Griffin.

— Fais-le toi-même.

— Ton dealer a appelé », me dit Mona.

Je hoche la tête, ne ferme pas la porte, descends l'escalier vers la plage, souhaitant être à des milliers de kilomètres de là. Mona me suit. Je me retourne.

« Je me tire ce soir, je lui dis. Il y a trop longtemps que je suis ici.

— Pourquoi ? dit-elle, surprise.

— J'ai l'impression de vivre un film que j'ai déjà vu, et je connais la fin. Je connais la fin par cœur. »

Mona soupire, ne bouge pas. « Alors qu'est-ce que tu fabriques ici ?

— Je ne sais pas.

— Tu l'aimes ?

— Non, mais quelle importance ? Ça changerait quoi ? Si je l'aimais, est-ce que tu crois que ça la guérirait ?

— Non, mais on a toujours l'impression que rien ne compte », dit Mona.

Je m'éloigne d'elle. Je sais ce que le mot partir veut dire. Je sais ce que le mot mort veut dire. On fait face, on se laisse aller, on rentre en ville. Je la regarde. La cassette de Madonna n'est pas finie, mais les piles du lecteur sont fatiguées et la voix de

Madonna est vacillante, lointaine ; elle ne bouge pas, ne manifeste même pas qu'elle m'a vue.

« Il faut rentrer, je dis, la marée monte.

— Je veux rester, dit-elle.

— Mais il fait froid.

— Je veux rester, dit-elle plus faiblement, j'ai encore besoin de soleil. »

Une mouche échappée d'un paquet d'algues se pose sur sa cuisse osseuse et blanche. Elle ne la repousse pas. La mouche reste là.

« Mais il n'y a plus de soleil », je dis.

Je commence à m'éloigner. Quelle importance ? Quand elle aura envie de rentrer, elle rentrera. Les rêves d'un aveugle ! Je remonte vers la maison. Je me demande si Griffin va rester, si Mona a réservé une table pour le dîner, si Spin va rappeler. « Je sais ce que le mot mort veut dire. » Je me murmure ces mots avec toute la douceur possible parce qu'on dirait un mauvais présage.

13

Au zoo avec Bruce

Aujourd'hui je vais au zoo avec Bruce, et en ce moment même nous observons des flamants roses un peu sales, dont certains se tiennent sur une seule patte sous le soleil chaud de novembre. Hier soir je suis passée en voiture devant sa maison de Studio City et j'ai vu la silhouette de Grace se profiler devant l'énorme écran vidéo placé devant le futon de la chambre du haut. La voiture de Bruce n'était pas garée dans l'allée, mais je ne sais si cela a une signification car la voiture de Grace n'y était pas non plus. Bruce et moi nous sommes rencontrés au studio que mon père dirige en ce moment. Bruce écrit les scénarios de « Miami Vice » et moi je suis en cinquième année à l'université de Californie à Los Angeles. Bruce devait quitter Grace hier soir, et il est évident à présent qu'il n'a pas pris sa décision. Nous avons été en voiture jusqu'au zoo dans un silence total troublé seulement par une cassette d'un groupe californien et les commentaires de Bruce sur la qualité du son qui accompagne le silence entre chaque air. Bruce a deux ans de plus que moi. Moi, j'ai vingt-trois ans.

C'est un jour de semaine. Jeudi matin, assez tard. Des écoliers, qui forment des colonnes mal alignées, passent pendant que nous regardons les flamants roses. Bruce allume cigarette sur cigarette. Des Mexicains qui ont les mains encombrées de boîtes de bière cachées dans des sacs en papier (c'est leur jour de repos) s'arrêtent, observent, marmonnent entre eux, ricanent comme des ivrognes, montrent des bancs du doigt. J'attire Bruce à moi et je lui dis que j'ai envie d'un Coca light.

« Ils dorment comme des femmes, dit Bruce en parlant des oiseaux. Je ne sais pas pourquoi. »

Je remarque qu'il y a littéralement des centaines d'élèves des écoles primaires qui passent, se tenant par la main deux par deux. Je cajole un peu Bruce et il se détourne des oiseaux et je ris en voyant ces masses d'écoliers. Bruce cesse de s'intéresser aux groupes d'enfants si sages et souriants et m'indique un panneau : RAFRAÎCHISSEMENTS.

Une fois les enfants sortis de mon champ de vision, le zoo semble désert. La seule personne que je vois dans la direction du petit bar de plein air est Bruce. Le zoo est tellement désert qu'on pourrait s'y faire assassiner sans que personne s'en aperçoive. Bruce n'est pas mon type habituel. Il est marié, il n'est pas grand, quand j'arrive à sa hauteur, il paie déjà mon Coca avec la monnaie que je lui ai laissée pour le parking. Il se plaint qu'on n'arrive pas à trouver les gibbons qui devraient pourtant se trouver dans ce secteur. Autrement dit, nous ne parlons pas de Grace, mais j'espère toujours qu'il va me surprendre. Je ne dis rien tellement il a l'air déçu de ne pas trouver les gibbons. Nous voyons d'autres animaux. Des pingouins qui ont trop chaud. Un crocodile qui rampe lentement vers son bras de rivière en évitant une amarante sèche.

« Ce crocodile te regarde, mon chou, déclare Bruce en allumant une nouvelle cigarette. Il se dit, miam, miam...

— J'ai l'impression que ces animaux ne sont pas tellement heureux », lui dis-je en observant un ours polaire, dont la fourrure est par endroits bleuie par le chlore de l'eau, se diriger vers un petit bassin et un glacier en toc.

« Oh, mais non, proteste Bruce. Je suis sûr qu'ils sont heureux.

— Je ne vois pas comment ils pourraient l'être.

— Qu'est-ce que tu veux qu'ils fassent ? Des feux de joie ? Des claquettes ? Qu'ils te disent que ce corsage te va très bien ? »

Une canette de bière flotte sur de l'eau couleur jaune pisse et l'ours polaire évite l'eau, la contourne. Bruce poursuit son chemin. Je le suis. Il cherche maintenant le léopard des neiges, qui est l'un de ses préférés. Nous trouvons son enclos, mais il reste caché à notre vue. Bruce rallume une cigarette et me regarde.

« Ne t'en fais pas, dit-il.

— Je ne m'en fais pas. Tu n'as pas trop chaud ?

— Non, ma veste est en lin.

— Qu'est-ce que c'est que ça ? dis-je en montrant un grand oiseau étrange. Une autruche ?

— Non, il soupire, je ne sais pas.

— Est-ce un... émeu ?

— Je n'en ai jamais vu, alors comment je pourrais le savoir ? »

J'ai les yeux qui piquent et je jette le reste de mon Coca dans une poubelle. Je vais aux toilettes pendant que Bruce regarde de nouveau les ours polaires. Dans les toilettes, je me passe de l'eau chaude sur le visage, espérant refouler la crise d'angoisse qui m'assaille. Une femme noire aide un petit garçon à s'asseoir sur la cuvette sans tomber dedans. Il fait plus frais ici, l'air est doux, désagréable à respirer. Je rajuste mes lentilles de contact et rejoins Bruce qui m'indique une énorme cicatrice rouge recousue avec des fils noirs sur le dos de l'un des ours.

Bruce observe maintenant un kangourou qui sautille maladroitement en direction d'un gardien, mais ne veut pas se laisser attraper. Il lance une patte hésitante en avant et pousse un cri affreux, et le gardien l'attrape par la queue et l'entraîne. Un autre kangourou, terrifié, regarde la scène en mâchonnant nerveusement des feuilles mortes. Un troisième, caché dans un coin, pousse aussi des cris et décrit des cercles, puis s'arrête brusquement. Nous reprenons notre promenade.

J'ai toujours soif, mais toutes les buvettes sont fermées et je ne vois pas de point d'eau potable. La dernière fois que Bruce et moi nous sommes vus, c'était lundi. Il m'a emmenée dans sa Porsche verte, on est allés à une projection au studio (une nouvelle comédie sexy pour ados), et on a dîné dans un Tex-Mex à Malibu. En quittant mon appartement ce soir-là, il m'a expliqué comment il comptait quitter Grace qui est devenue l'une des jeunes actrices favorites de mon père et dont Bruce me dit qu'il n'a jamais été vraiment amoureux mais qu'il l'a épousée il y a un an pour des raisons « encore mystérieuses ». Je sais qu'il n'a pas quitté Grace et je suis sûre à quatre-vingt-dix-neuf pour cent qu'il s'en expliquera plus tard, mais j'espère aussi qu'il s'est décidé et que c'est la raison pour laquelle il est tellement silencieux en ce moment, parce qu'il veut m'en faire la surprise plus tard, après le déjeuner. Il fume sans arrêt.

Il a vingt-cinq ans, mais il ne les fait pas, et c'est surtout à cause de sa silhouette d'ado, son visage parfait, totalement dépourvu de barbe, sa touffe épaisse de cheveux blonds coupés à la mode, et, comme il se shoote beaucoup, il est plus mince qu'il devrait normalement l'être, mais ça lui va bien, et il a un air digne, un air que peu d'hommes de ma connaissance ont. Il passe devant. Je le suis dans un monde étrange : des cactus, des éléphants, des oiseaux bizarres, de grands reptiles, des rochers, toute l'Afrique. Une bande de garçons hispaniques nous suit sans but, l'air de faire l'école buissonnière, ce qui n'est sans doute pas le cas, et moi je regarde ma montre pour vérifier que je vais bien manquer mon cours de treize heures.

On s'est rencontrés à une soirée au studio. Bruce est venu vers moi et m'a offert un verre de glace et il a dit : « Vous ressemblez à Nastassja Kinski. » Je suis restée là, muette, j'ai fait un très long effort, au moins quatre-vingts secondes, pour décoder sa phrase. Trois semaines d'amour plus tard, j'ai découvert qu'il était marié et je m'en suis voulu tout l'après-midi et toute la soirée après qu'il m'a annoncé cette nouvelle chez Trumps un vendredi soir avant son départ pour la Floride pour le week-end. Je n'avais pas pu reconnaître les signes qui caractérisent une aventure avec un homme marié, parce qu'à L.A. il n'y en a guère. Quand je l'ai appris, évidemment cela a paru clair a posteriori, mais il était alors « trop tard ». Un gorille est allongé sur le dos et joue avec une branche. Nous sommes loin de lui, mais je sens son odeur. Bruce s'approche d'un rhinocéros.

« Ils sont heureux ici, dit-il en regardant l'animal

immobile, couché sur le côté et dont je pense qu'il est mort. Pourquoi est-ce qu'ils ne seraient pas heureux ?

— On les a capturés, on les a mis en cage », je réponds.

Près des girafes, en allumant une autre cigarette, il fait une blague à propos de Michael Jackson et dit : « Ne me quitte pas. »

C'est ce qu'il avait déjà dit quand l'édition anglaise de *Vogue* m'avait offert un salaire énorme pour un job que je n'étais pas capable de faire et que ma belle-mère avait obtenu pour moi sans m'en parler et dont je pense, rétrospectivement, que j'aurais dû l'accepter, et il l'avait redit le soir de son départ pour la Floride, « Ne me quitte pas ». S'il n'avait rien dit, je l'aurais quitté, mais comme il me l'avait demandé, deux fois, je suis restée.

« Bien », dis-je dans un murmure en me frottant doucement l'œil.

Tous les animaux me paraissent tristes, surtout les singes qui tournent en rond sans joie et Bruce se lance dans une comparaison entre les gorilles et Patti LaBelle, et nous tombons sur une buvette ouverte. Je paie son hamburger, parce qu'il n'a pas d'argent sur lui. On est allés au zoo parce que Bruce a emprunté la carte d'adhérent d'un copain. Quand je lui ai demandé qui pouvait bien être adhérent d'un zoo, il m'a répondu avec un petit baiser, un geste affectueux sur le cou, et il m'a offert une Marlboro light. Il me tend un reçu. Je l'empoche. Un jeune couple avec un bébé est assis près de notre table. Ça me rend nerveuse parce que mes parents ne m'ont jamais emmenée dans un zoo. Le bébé attrape une frite. Je frissonne.

Bruce ôte la viande qui est sur le petit pain et la

mange en laissant le pain qu'il considère comme malsain, « c'est mauvais pour moi ».

Il ne prend jamais de petit déjeuner, même pas les jours où il travaille à l'extérieur, aussi a-t-il faim maintenant, et il mâche bruyamment, satisfait. Je grignote un morceau d'oignon, je ris sottement, mais il ne parle toujours pas de nous. La pensée m'effleure soudain que Grace ne demandera pas le divorce.

« Partons, dis-je, allons voir d'autres animaux.

— Relax ! » lance-t-il.

Nous passons près de lamas inutilement fiers, d'éléphants qui ont l'air d'avoir été battus, d'un tigre invisible. Sur une cage, je lis la description suivante d'un animal dénommé bongo : « On les voit rarement à cause de leur extrême timidité, et les marques qu'ils portent sur le dos et le derrière leur permettent de se fondre dans les lieux obscurs. » Des babouins paradent, font les machos, se grattent avec arrogance. Des femelles épluchent désespérément le dos des mâles pour les nettoyer.

« Qu'est-ce que nous faisons ici ? dis-je. Bruce ? »

Bruce dit enfin : « Est-ce que nous sommes allés le plus loin possible ? »

Je regarde fixement ce que je crois être des autruches. « Je ne sais pas. Je crois, oui.

— Non, pas encore », crie-t-il, avançant devant moi.

Je le suis là où il s'est arrêté, devant un zèbre.

« Le zèbre est un animal vraiment magnifique », déclare-t-il en lisant une description affichée près de l'enclos.

Un enfant apparaît soudain à mon côté et fait un geste en direction du zèbre.

« Bruce, dis-je. Tu lui as parlé ? »

Nous nous dirigeons vers un banc. Le ciel s'est couvert, mais il fait encore chaud et venteux, Bruce allume une nouvelle cigarette et ne dit rien.

« Je veux te parler, dis-je en lui prenant les mains, les serrant, mais ses mains restent sans vie, posées sur ses genoux.

— Pourquoi donne-t-on des grandes cages à certains animaux et pas à d'autres ? dit-il.

— Bruce. S'il te plaît. » Je commence à pleurer. Le banc est devenu soudain le centre du monde.

« Les animaux me rappellent des choses que je n'arrive pas à expliquer, continue-t-il.

— Bruce. » J'étouffe.

Je lève très vite la main vers son visage, effleure doucement sa joue.

Il prend ma main, la retire et la maintient entre nous sur le banc, et il me dit très vite : « Écoute, mon nom est Yocnor et je suis venu de la planète Arachanoïde, elle se trouve dans une galaxie que la Terre n'a pas encore découverte et ne découvrira sans doute jamais. Je suis installé sur votre planète, en comptant avec votre mesure du temps, depuis environ quatre cent mille ans, et j'ai été envoyé ici pour rassembler des informations sur votre comportement, informations qui nous serviront finalement à vous envahir et à vous détruire, ainsi que nous le ferons pour les autres galaxies. Ce sera un mois terrible puisque la Terre sera détruite morceau par morceau, et il y aura des souffrances et de la douleur à un degré que ton esprit ne pourra jamais concevoir. Mais tu n'assisteras pas à cet événement, parce que la Terre sera détruite pendant son vingt-quatrième siècle, et que tu seras morte depuis longtemps déjà. Je sais que tu trouveras tout cela difficile à croire, mais pour une fois je te dis la vérité. Nous n'en parlerons plus jamais. » Il m'embrasse la main, regarde de nouveau le zèbre, et l'enfant en T-shirt CALIFORNIA, qui est resté là et fait toujours des signes à l'animal.

En sortant nous tombons sur les gibbons. On dirait qu'ils viennent de nulle part, qu'ils se matérialisent pour les seuls yeux de Bruce. C'est la première fois que je vois un gibbon, et je n'avais pas particulièrement envie d'en voir aujourd'hui, donc il ne se passe rien de remarquable. Je m'assieds sur un autre banc et j'attends Bruce, tandis que le soleil diminue un peu d'intensité à travers une brume chaude qu'il casse en petits éléments, fait danser, et il m'apparaît soudain que Bruce pourrait bien ne pas quitter Grace, que je pourrais tomber amoureuse de quelqu'un d'autre, que je pourrais même abandonner l'université et aller en Angleterre ou tout au moins sur la côte est. Bien des choses pourraient m'éloigner de Bruce. En fait, il y a de fortes chances pour que cela arrive. Mais je n'y puis rien, me dis-je à la sortie du zoo en m'installant dans ma BMW rouge, et il démarre. Je crois en cet homme.

TABLE DES MATIÈRES

Si vous désirez être régulièrement tenu au courant de nos publications, merci de bien vouloir remplir ce questionnaire et nous le retourner :

**Éditions 10/18
c/o 10 Mailing
35, rue du Sergent Bauchat
75012 Paris**

NOM : _ _ _ _ _ _ _ _ _ _ _ _ _ _

PRENOM : _ _ _ _ _ _ _ _ _ _ _ _

ADRESSE : _ _ _ _ _ _ _ _ _ _ _ _

_ _ _ _ _ _ _ _ _ _ _ _ _ _ _ _ _ _

CODE POSTAL : _ _ _ _ _ _ _ _ _

VILLE : _ _ _ _ _ _ _ _ _ _ _ _ _

PAYS : _ _ _ _ _ _ _ _ _ _ _ _ _ _

AGE : _ _ _ _ _ _ _ _ _ _ _ _ _ _ _

PROFESSION : _ _ _ _ _ _ _ _ _ _

TITRE de l'ouvrage dans lequel est insérée cette page :

Bret Easton ELLIS - Zombies, n° 2953
_ _ _ _ _ _ _ _ _ _ _ _ _ _ _ _ _ _

Cet ouvrage a été réalisé par

FIRMIN DIDOT

GROUPE CPI

Mesnil-sur-l'Estrée

pour le compte des Éditions 10/18
en juillet 2001

Imprimé en France
Dépôt légal : mai 1998
N° d'édition : 2906 – N° d'impression : 56218
Nouveau tirage : juillet 2001

Imprimé en France
Dépôt légal : mai 1995
N. d'édition : 2603 - A. Gérard-Sens, 5417
Nouveau tirage : avril 2001